悲しみを越え死をも通りすごし、　総てを貫いてなお愛を広めんとした魂に捧ぐ

相模

自由を求め　時代の風とたたかった歌人

丸山牧夫

サルピーノ

目次

Ⅲ　侘歌《わびうた》を作る

表紙・相模（絵札）：公益財団法人小倉百人一首文化財団
嵯峨嵐山文華館所蔵

凡　例

一　本書の歌は塙保己一の校訂に係る「群書類従」を底本として使用した。
二　群書類従に不明な場合は適宜、佐々木弘綱、佐々木信綱標註「相模集」を参考にした。
三　「思女集」は桂宮本叢書を使用した。
四　一・二・三を参照してもなお字の欠落等があるとき、歌の意味を汲んで補筆した。
五　和歌及び現代語訳は作者の意図を損わないように注意した。
六　読みにくいと思われる箇所は、現代仮名遣いにより、ふり仮名をつけた。

序

事実とは、それがいかなる種類の事実であれ、それを伝えようとする者の、一表現であるにすぎない。

相模集は、今から約千年前に生きた女流歌人相模による歌集であるが、その巻頭には不思議な言葉が書きつけてある。それがいったい何を意味するのかは本文に譲るとして、ここでは、その不思議な言葉を紹介するに留めよう。

いとわれはかりとのみおほゆる。あつさの杣《そま》にくちはてにける深山木《みやまぎ》を。いかにとはかり。小高き陰もやと。たのみしおりは。残りゆかしう。花もみ□雨かせにつけても。おのつから散る言の葉をかきをきたらは。みくす。にようらん流れなりとも。浅きかたにやと。せきとゝめてしを。あいなう袖に涙のかゝりける身にと思ひしられはてぬる折しも。面なきことを。今更に心もとなき水茎《みずくき》のあとにまかせて。あらはしてんも。いとうしろめたけれと。けふや我世のとのみ物哀《ものあわれ》なる露の命にをくれんなかに。もし思ひてん人もしあらは。人しれぬ形見ともなれかしとてなん。忍ひもはてすなりにける。昔のことをは忘れはてにけれは。いまさらのをたにもと思ふほとも。なをふるめかしき。

I

乙《おと》の初恋

一　童女御覧《わらわごらん》

一条天皇の御代《みよ》の長保元年（九九九年）十一月の末、京の都で不思議な噂《うわさ》が流れた。何でも年端《としは》のゆかない子供の詩詠に帝《みかど》が涙を流したという話だった。しばらくの間、人々はその話を面白がったが、その子供が誰でどのようにして帝を泣かせたのか皆目詳《かいもく》しいことはわからず、やがてその噂は京の人々の関心から消えていった。

時の中納言《ちゅうなごん》、藤原実資《ふじわらのさねすけ》はこの時のことをよく覚えていた。摂関家《せっかんけ》の権力争いが続き、人事のもめごとや天変地異《てんぺんちい》を憂《うれ》う話が多い中、帝を泣かせたその噂は唯一《ゆいいつ》実資を快活にさせ、我が意を得たと感じさせたからだ。

遡《さかのぼ》る十月一日に新嘗祭《にいなめさい》で行なわれる五節《ごせち》の舞《まい》の内示があり、平生昌《たいらのなりまさ》、藤原済家《ふじわらのなりとき》、右大将道綱《うだいしょうみちつな》、藤原実資がその責任者となった。新嘗祭は天皇がその年の新穀《しんこく》を神に供えて感謝し、自らも食する祭事だ。古代から伝わる神事で、旧暦十一月の卯《う》の日に行なわれた。責任者は一人ずつ舞姫《まいひめ》を献《けん》じる。藤原実資は栄《は》えある任を賜《たまわ》り嬉《うれ》しく感じた。だが、結婚して間もない実資はその任に困惑した。しばらく考えたが、祖父で太政大臣《だじょうだいじん》、藤原実頼《ふじわらのさねより》より小野宮《おののみや》と呼ばれる領地を相続した実資でも、その任を果たすのは難しそうに思えた。実資の近くに帝の気に入るような娘がいなかったからだ。神事は一見すると雅《みやび》やかに見える。しかし、任を賜る者にとって栄誉ではあるが、かなりの散財を覚悟しなくてはならないつらい面があった。

一条帝《いちじょうてい》は詩や管弦《かんげん》を好み、特に漢詩に詳しいと言われていた。果たして帝の気に入る舞姫を整えられるのか、実資はその日以来心配でならなかった。実資は家人《けにん》の慶滋為政《よししげのためまさ》に相談した。代々続いていて伝統のある小野宮家にとってこの度《たび》の五節《ごせち》の舞姫《まいひめ》選出は、はなはだ重い任であるが、何とか帝の覚えめでたい姫を探したいと話した。為政はこの話を聞いて、すぐに姪《めい》の乙《おと》を思い浮かべた。乙は為政の家によく遊びに来ていた。文章博士《もんじょうはかせ》だった為政の家には古文書《こもんじょ》の類《たぐい》が多くあった。乙は遊びに来ると時を惜しむかのように漢籍《かんせき》や詩書《ししょ》を貪《むさぼ》り読んでいた。背はまだ大人ほどに高くなかったが、白く透きとおる面立《おもだ》ちは、どこか雅《みやび》な大人の風貌《ふうぼう》を有していた。また、玉を転がすような声は話をする相手を楽しくさせた。

ある日、為政は乙に声を掛けた。

「乙はどのような詩が好きか」

乙は為政の顔を見て、ほほえみながら
「少し憂愁《ゆうしゅう》を帯びた詩が好きです」と答えた。

「例えばどのような詩だ」

「秋風《しゅうふう》の辞《じ》が好きです」

「漢の武帝《ぶてい》の詩か」

為政は苦笑した。文章道《もんじょうどう》を学ぶ学生《がくしょう》達より遥かに賢く思えたからだ。当時学生達は多くの本を手にしたが、これを自分のものとする者は少なかった。乙は為政の家のほとんどの書を読んでいたし、為政が質問すると、その大意を見事につかんで答えた。一条帝の歌好きを思い出した為政は、試《こころ》みに乙に歌を作ることを勧めた。何日かたって乙は歌を持ってきた。まだ表現は拙《つたな》いものの見事に漢籍の故事《こじ》をひいて、大人が読むに耐えるものだった。以来、為政はこの乙と詩文の話をするのがひそかな楽しみとなった。

為政は乙に「貴人を相手に詩文の話をすることができるか」と尋ねた。乙は「どのような方と話をするのか」と尋ねた。為政は「帝だ」と告げると、乙は黙ったままだったが、俄《にわか》に帝に興味を覚えたようだった。「その帝はどのような人で何をしているのか」と問うた。為政は帝のことを詳しく話すのが憚《はばか》られたが、五節の舞のことを話さねばならず、為政の知っている帝の関心事を知っている限り、乙に話した。

乙はさらに帝に興味を持った。何より出家した中宮《ちゅうぐう》を意中の人として内裏《だいり》に入れたことが好ましく思えた。また、帝も中宮も和歌が大層好きなことに乙は興味を持った。

為政は五節《ごせち》の舞姫に付く童女に乙を推したいと実資に言った。童女は帝と会う機会があること、何より舞の美しさで競うよりも童女御覧《わらわごらん》の席で帝に話をする方が帝の心に残ると語った。結局、四人の舞姫は苦労してそれぞれの責任者が準備し、乙は為政の提案通り童女として内裏《だいり》に参入することとなった。

後に実資は童女御覧の時のことを何度も思い浮かべた。それは彼にとって何より楽しく思えることだったからだ。童女御覧は五節の舞姫とは別に童女と帝が向かい合って話す機会のことだ。童女といっても選び抜かれた子女達で、いずれは帝のそばに仕える候補の者だったから、担当の者は競って舞姫のほかに、この童女を帝の気に入る対象として探そうとした。けれども帝の好みに合う女性を探すのは難しいことだと仕える者達はよく知っていた。

五節行事の三日目、卯《う》の日の夕刻に童女御覧《わらわごらん》が行なわれた。関白以下三人の大臣が着座すると、若い殿上人《てんじょうびと》が童女を引き連れ、仮橋《かりはし》から御前《おまえ》に参上した。

藤原実資《ふじわらのさねすけ》は既に童女御覧に参加する大臣達を知っていた。左大臣藤原道長《ふじわらのみちなが》、右大臣藤原顕光《ふじわらのあきみつ》、内大臣藤原公季《ふじわらのきんすえ》である。付添い役は藤原公任《ふじわらのきんとう》だった。実資は公任に童女を帝に連れていく時に緊張しすぎないよう配慮してほしいと告げた。その上で実資は伝えた。我が家司《けいし》の中に詩や歌に秀れる者がいて、その眷族《けんぞく》の者が童女として参加すると。公任は詩や歌に秀《ひい》でる童女と聞いて俄に興味が湧いた。公任は童女御覧の前に控えの部屋で乙に聞いた。

「どのような歌が好きなのか」

乙は答えた。

「月明かりに照らされた花のことをうたった『村夜《そんや》』という詩です」

公任は白居易《はくきょい》の作ったこの詩をよく知っていた。秋の晩、虫が鳴き、人けのない門前に出ると月明かりに白い蕎麦《そば》の花が雪のように咲いているという絵画を思わせる美しい詩だった。公任は話をしたあとすぐにこの童女を好きになった。

「その詩のことを帝に話すのか」

「いいえ、そうではありません。帝が好むであろう詩の話をします」

乙の静かな話しぶりを公任は好ましく感じた。いつかこの童女と詩についての話をしたいと考えた。公任は言った。

「帝は詩の話が大好きだ。きっとあなたを帝は気に入るに違いない。帝は物静かな方だ。私は応援するので、心にあるものを思いをこめて話すとよい」と助言した。

乙が帝に会ったのは、三日目の夕方だった。内裏《だいり》は焼失しており、乙が行ったのは一条院内裏だった。

帝は御簾《みす》越しに乙に聞いた。

「そなたは詩に長《ちょう》じていると聞いた。何か詩を吟《ぎん》じることはできるか」

乙は答えた。

「武帝《ぶてい》の秋風《しゅうふう》の辞《じ》を詠《えい》じます」と告げた。乙は一瞬目を遠くにうつすと詩を声に出した。

秋風《しゅうふう》起こって　白雲《はくうん》飛び、
草木黄落《そうもくこうらく》して　雁《かり》　南に帰る。
蘭《らん》に秀《はな》有り　菊に芳《かおり》有り、
佳人《かじん》を懐《おも》うて　忘るる能《あた》わず。
楼船《ろうせん》を汎《うか》べて　汾河《ふんが》を済《わた》り、
中流に横《よこ》たえて　素波《しらなみ》を揚《あ》げ、
簫鼓《しょうこ》鳴って棹歌《とうか》を発す。
歓楽極《きわ》まって哀情《あいじょう》多し、

少壮幾時《しょうそういくばく》ぞ　老《おい》を奈何《いかん》せん。

居並ぶ大臣達はその声の美しさにため息を漏らした。帝は乙の詩詠にひどく驚いた様子だった。そして、尋ねた。

「その詩の意味を知っているのか」

乙は答えた。

「秋の景色の中で、人を思い、楽しい思いの中で哀しさを思う帝の心です」

その刹那《せつな》、帝はひどく震える声で言った。

「見事だ。そなたは確かに詩の心をわかる者だ」

声を発した瞬間、帝は慟哭《どうこく》した。

帝の泣く瞬間を実資は初めて見た。歌を知る実資はこの時ひどく粛然《しゅくぜん》とした気持ちになった。帝の悲しみがわかったからだ。同時に実資はこの童女のおかげでこの新嘗祭《にいなめさい》は実りのあるものになったと強く思った。

左大臣藤原道長《さだいじんふじわらのみちなが》より帝が童女の詩詠《しえい》で泣いたことを洩《も》らしてはならないと厳命《げんめい》されたが、居並ぶ人々の多くはそのことを話さずにはいられなかった。帝は中宮への気づかいから少し気を病んでいるのではないかとも噂された。

童女、乙《おと》が中宮定子《ちゅうぐうていし》に出仕《しゅっし》したのは、その祭が終わって数日後のことだった。帝から左大臣を通して実資に命令があり、乙は中宮定子のもとで働くようにとのことだった。

乙は中宮定子に会った時、少しなつかしい気持ちがした。母と暮らした時を思い出したからだ。そばに行くと香《こう》の良い香りがした。中宮のいる邸には三歳になる幼女、脩子内親王《しゅうしないしんのう》と一歳になる幼児、敦康親王《あつやすしんのう》がいた。乙は、ふたりが可愛く思えてならなかった。

中宮は帝から、他人の気持ちのわかる子女に育ててほしいと言われていた。そこで中宮定子は乙に会うと、最初に真剣な眼差《まなざ》しで話をした。

「子供達を教える人がいないのです。文章を通して豊かな心を持つ人になってほしいと願っています。あなたは帝の前で詩を詠じました。帝はあなたのことを何度もほめていました。大人の心のわかる人だと。これから内親王と親王の教育をお願いします」

乙は驚いた。今まで興味の赴《おもむ》くままに書物を読んでいた。半ば遊びであったのが、今日から帝の子女を教育する役目を負ったのだ。大人の心を伝えるためにこれからは生きていく。しかし、乙にはまだ大人の心が何なのかよくわからなかった。乙は母の言葉を思い出した。「どんな時も顔を上げて遠くを見なさい。心をこめて話しなさい」。祖父、慶滋保章《よししげのやすあき》のやさしい声も思い出した。「文章は、なほ心に留まりて価値のあること」。乙は心の中で復唱した。

二　三条宮《さんじょうのみや》へ　――清少納言《せいしょうなごん》との出会い――

乙《おと》は不思議な子供だった。女房達の前でひどく大人びた振る舞いをするものの、三歳の脩子内親《しゅうしないしん》王《のう》と遊ぶ姿は大層子供らしく、周囲のほほえみを誘っていた。

乙が清少納言に出会ったのは、中宮定子に仕えてまもなくのころだった。清少納言は既に定子に仕える女房《にょうぼう》として活躍していた。ある日のこと、一人で部屋にいる清少納言を見つけ、乙がそっと近寄ると、清少納言は乙にやさしく声を掛けた。「あなたが中宮様の話していた乙、本当に可愛らしいのね」

清少納言は痩《や》せて小柄《こがら》な女性だった。乙は意外な感じがした。女房達から清少納言は気難《きむずか》しいと言われていたからだ。清少納言は手を止めずに尋ねた。「乙は月の光を落ちついて眺めたことがあるか」と。

乙は考えた。乙の母は京にいる源頼光《みなもとのよりみつ》のもとに行くことになり、乙は和泉《いずみ》にある母方の祖父、慶《よし》滋保章《しげのやすあき》の家に預けられた。母が育った家で乙は夜半まで月を眺めたことがある。じっと眺めていると母の顔が浮かんできた。乙は答えた。「はい、あります」

「それで、どのように感じたの」

「悲しい気持ちで見ると、月の影を少し遠くに感じます」

「見る人が楽しければ」清少納言が尋ねると、乙は
「月影をさやかに感じます」

「そうね。そのことを乙は知っているのね」

「はい」

「では、いいお友達になれるでしょう」

清少納言は立ち上がり、ほほえみながら乙の肩をポンと叩いた。乙は慣れない邸での暮らしの中で、明るい灯が一つついたように感じた。

ある時、乙がまた清少納言の近くに行った。清少納言は女房達の使う草紙を整えていた。傍《かたわ》らに清少納言が書いた紙もあった。乙は尋ねた。「なぜ書いているのですか」

しばらく清少納言は黙っていた。深く息を一つすると、静かに話し始めた。

「落ちついた心で生きるためです」

「誰が落ちつくのですか」

「中宮様です」

乙はその紙を眺めて聞いた。「この紙に書かれているのは誰のこと」

清少納言は乙の顔をじっと見た。「あなたは私の言うことを守ることができますか。それは、二人の話をこれから先ずっと誰にも言わないこと。文章にも表わさないこと」

乙はまっすぐ清少納言の目を見て大きく肯《うなず》いた。

「これはあなたた達のこと。ここにいる人達の話。でも読む人には誰のことかわからない。なぜ

だかわかりますか」

乙はしっかりと答えた。

「ここにいる人達を守るため」

清少納言が尋ねた。

「なぜそう考えたの」

乙は答えた。

「あなたは中宮様を守るためにここにいらっしゃる。私は脩子様を守るためお仕《つか》えしている。その書にはそのことが書いてある」

清少納言は思わず乙を抱き寄せた。

「あなたはその年で、もうそのことがわかるのね」

乙は大きく肯いた。乙は清少納言から抱きしめられた日のことをいつまでも忘れなかった。


時の権力者、藤原道長《ふじわらのみちなが》によって清少納言は立場を悪くし、一時、中宮定子のもとを離れた。その時以来、清少納言は人と会う時の振る舞いを極めて慎重にした。書き著《あらわ》す草紙の内容もできるかぎり当たり障《さわ》りのないものにした。そして乙に伝えた。

「本当に中宮様や脩子様を守りたかったら、賢《かしこ》く振る舞うこと。あらゆることをよく考えて文章にすること。そして本当に人の心を楽しくする文章を作ること」

乙はさらに尋ねた。「心を楽しくする文章はどのようにして作るのですか」

清少納言は草紙の中から数枚を抜いて乙に渡した。そこには邸内で遊ぶ脩子内親王と乙の様子が書かれていた。

内親王はよく肥えて可愛らしかった。藍色の薄物を着て、はって出てくるのが愛らしい。小さなごみを見つけてもみじのような指でつまみ、よちよち歩きながら女房に見せているのをみると、とても楽しく感じた。内親王のそばでおかっぱ頭の乙の髪が顔にかかるのを気にせず、首を傾けて見ているのも楽しい。

可愛らしい感じの乙が内親王をちょっと抱いて遊ばせたり可愛がったりするうちに遊び疲れて、内親王に抱きついて寝てしまうのを見ると、たいそういとおしい。

清少納言は筆を持つと、その草紙の中の乙と内親王の文字を丁寧《ていねい》に消して、「ちご」に書き換えた。幼いころ乙《おと》と呼ばれた相模《さがみ》は、生涯、清少納言のことについて、一切その歌集の中で触れることはなかった。また、清少納言は中宮定子の置かれた複雑な状況や女房達の不安定な立場を草紙の中で記すことはなかった。

清少納言は人の心を慰め楽しく読めるものとして『枕草子』を書き残した。また、周囲の者を守ることに細心の注意を払った。

三　皇后定子《こうごうていし》の死

一条帝は時の権力者、藤原道長より彰子《しょうし》を后《きさき》とすることを強《し》いられた結果、二后《にこう》時代が到来する。そこで中宮《ちゅうぐう》定子は皇后《こうごう》定子となり、彰子は中宮と呼ばれることとなった。

乙《おと》が出仕した翌年、三条宮《さんじょうのみや》で乙と御匣殿《みくしげどの》は皇后定子に呼ばれた。御匣殿は藤原道隆《ふじわらのみちたか》の四女で皇后定子の妹にあたり、乙より八歳上だったが、いつもやさしい気持ちの女性だった。乙とともに子供達の養育の仕事をしていた。皇后は病気がちで伏せっていることが多かった。

皇后は自らのいる部屋の片隅《かたすみ》に二人を呼んで言った。皇后は部屋の一ヶ所を指さした。帳《とばり》の帷子《かたびら》のひもに一枚の紙が結びつけられていた。

皇后は言った。

「私に何かあった時には、この文を帝に渡してください」

「何かあった時とは何ですか」

乙が尋ねた。

皇后は乙を見つめて言った。

「私は帝に愛されて幸せの中にいます。極楽浄土《ごくらくじょうど》がどのような所かわかりませんが、今、私がいる所が極楽浄土ではないかと思います。けれど人間はいつか死ななくてはなりません。極楽浄土はずっと続くことはありません。どのように愛しく思い合った者同士でも、いつか別れる時がやってきます。私は帝と一晩中話をしました。帝は生涯、私のそばにいると約束してくれました。その約束はとても有難く尊く思えました。そこで私がいつか死んだ時に、恋い慕う涙はどのような色か尋ねてみたいと思いました」

乙は尋ねた。

「涙の色を尋ねたいのですか」

皇后は答えた。

「悲しみの極みで流す涙は紅《くれない》と言われています。その紅こそ私には相応《ふさわ》しいのです」

乙は母と別れて月を眺めた晩のことを思った。月が赤く見えたからだ。

乙は答えた。

「わかりました。必ず帝に伝えます」

皇后は続けた。

「真暗で誰もいない死出《しで》の旅に出ます。急なことで心細いのです。けれども、空にたなびく煙や雲とならずに、この世にあって草葉《くさば》の露《つゆ》として生きていきます。どうかそれを私だと思ってください」

皇后は二人に向かって心をこめて話した。二人は皇后の言葉を心の奥に深く留めておくことにした。

長保二年（一〇〇一年）十二月十六日は寒い日だった。乙は邸の一室で、四歳になる脩子内親王《しゅうしないしんのう》や二歳の敦康親王《あつやすしんのう》の世話をしていた。

皇后のいる御産室《おさんしつ》には産婆《さんば》の役をする女性が控えていた。また、別室には加持祈祷《かじきとう》をする者や誦《ず》経《きょう》をする僧侶が集まっていた。皇女が生まれたものの、皇后の容体《ようだい》はすぐれなかった。兄、藤原伊周《ふじわらのこれちか》、弟、藤原隆家《ふじわらのたかいえ》らが心配して駆けつけたが、皇后は出産後、息を引き取ってしまった。

乙は大声を出して泣く二人の男の声をすぐ隣の部屋で聞いていた。幼い子供達はまだ皇后の亡くなったことがわからない。乙は皇后から夏の終わりに教わった文の話を思い出した。御匣殿《みくしげどの》を捜したが、部屋にはいなかった。乙は考えた。誰にこのことを伝えたらよいのだろう。女房の中で一番皇后に信頼されていた清少納言を捜した。清少納言は女房達を指揮して部屋の片づけをしていた。

乙は清少納言の袖を引いた。

「何の用、乙」と清少納言は聞いた。

「皇后様の遺した文がある」

清少納言は尋ねた。

「なぜそのことを乙は知っているの」

その時、御匣殿《みくしげどの》が乙のそばにやってきた。

「皇后様から何かあったら帝に伝えてと頼まれました」

清少納言はつぶやいた。

「私達に心配をかけないように最期《さいご》まで気を配っていたのですね」

清少納言の案内で二人は皇后の部屋に入った。清少納言は手を伸ばして帳《とばり》の帷子《かたびら》のひもに結びつけられている文を取った。その文を見つめたまま清少納言はじっとしていた。「最期まで自分のことを気にかけてくださった」と言って歌を読んだ。

夜もすがら契《ちぎ》りしことを忘れずは
恋ひむ涙の色ぞゆかしき
（後拾遺和歌集《ごしゅういわかしゅう》）

知る人もなき別れ路《みち》に今はとて
心細くも急ぎ立つかな
（後拾遺和歌集）

煙とも雲ともならぬ身なりとも
草葉《くさば》の露《つゆ》をそれとながめよ
（後拾遺和歌集異本《いほん》）

清少納言は乙に尋ねた。「あなたはこの歌の言っていることがわかる」
「死んだ後、私のことを思い出してください。心細く立っています。煙となれない身です。草葉の露を見て、私のことを思い出してください」と乙は答えた。
しばらくして清少納言は二人に言った。「帝は皇后のことを心配しているに違いない。私はこの文を誰にも知らせずに帝に届けるのが良いと思う。二人で帝のもとに行っておくれ」
夜半だった。星が光っていた。皇后はどのような草の露になっているのかと考えた。乙はまっすぐに前を向いて、三条大路《さんじょうおおじ》から内裏《だいり》に向かった。

入るのは思いのほか簡単だった。衛士《えじ》に「急いでいます。帝に皇后からの言伝《ことづて》があります。皇后の所で働く女房です」と言うと、すぐに清涼殿《せいりょうでん》に通された。警護の滝口《たきぐち》と呼ばれる武者《むしゃ》に話をすると宿直《とのい》している殿上人《てんじょうびと》に知らせ、殿上人は奥に入り、帝に話をつないでくれた。やがて一条帝が二人の前に現れた。

帝は皇后について尋ねた。二人は話ができなかった。ただ「これを」と言って文を渡した。帝はその文を黙って受け取った。そして「そうだったのか。そうだったのか」とつぶやき、肩をふるわせて泣いた。乙は皇后の悲しみと帝の悲しみを共に受け取ろうとして、まっすぐに立っていた。

その後、帝は皇后の葬送《そうそう》の日、「野辺《のべ》の送りに参加できないけれど、皇后と心が通い、私の心がその場所にあることに気がつかないだろう」と歌を作った。乙はこの歌が帝らしくて好ましく感じた。

野辺《のべ》までに心ひとつはかよへども
我がみゆきとは知らずやあるらむ
（後拾遺和歌集）

一条帝は皇后定子亡き後も三条宮《さんじょうのみや》にいる子供達の遊ぶ姿を楽しみにして、時々訪問した。清少納言が三条宮にいるころのことだ。

帝は言った。「あのおかっぱ頭の童女は脩子《しゅうし》の面倒をよくみているようだが」

「はい。母のように慕っていた御匣殿《みくしげどの》がいなくなり、随分と大人になったように感じます」

「どういうことだ」

清少納言は答えた。「この前、私が漢詩の七歩詩《ななほのうた》を読んでいたところ、乙が来て申します。この歌は帝に見せない方がいいと言うのです。なぜと聞くと、帝はきっと悲しがるからと答えました。どうしてと聞くと、帝を困らせている人がいる。帝は民のための政治を行ないたいのにできないと乙は言うのです」

帝は答えた。「釜《かま》の中で煮られている豆に例えて、こんな仕打ちは酷《ひど》いという詩だ。あんな小さな体で私の悲しみを知って慰めてくれる。なぜだかわからないが、不思議な気持ちになる」

「帝もそう思われるのですか。私も不思議な気がするのです。でも、あの子が無理をして背伸びをしているのではないかと気になります」

「なぜそう思うのだ」と帝が聞いた。

清少納言は言った。「皇后様の亡くなったあと、御匣殿《みくしげどの》の御病気がありました。つらいことがあっても、あの子は一言も私の前で悲しいと言いません。それが却《かえ》って気になります」

帝は黙ったまま中庭を眺めていた。

四　清少納言との別れ

皇后定子が亡くなった翌年のことだった。清少納言は荷物をまとめた後、乙をそばに呼んだ。

「皇后様の葬儀も終わり一段落したので、近いうち、この邸を出て摂津《せっつ》の家に行きます。その前にいくつか乙に約束してほしいことがあります」

日ごろ、明るい言葉使いの清少納言だったが、この時はひどく真剣な面持ちで話をした。乙は答えた。

「約束事を教えてください」

清少納言は話をした。

「あなたは歌を作る才能があります。それも人の心をとらえる歌が作れます。私は自分の目に映り、心に思うことを書きつけることができます。この二つは似ています。私は人に不都合《ふつごう》な言い回しをして、却《かえ》って皇后様を苦しめました。そこで、ひどく私は苦しみました。大臣の藤原道長《ふじわらのみちなが》様のことです。関白の道隆《みちたか》様を思うあまり、余計な追従《ついしょう》を書き、道長様に通じていると思われました。たった一つの文のおかげで皇后様も自分も悩む結果となりました。私の書いたものは世の中の面白いことやすばらしいことではなく、自然と心の中に浮かぶことです。褒《ほ》められることもあるものの、時に仕事を奪われたり、人に隔《へだ》てられたりすることもあります。だから皇后様や中宮様、内親王様にお仕えするのであれば、一人ひとりの名前を出さないこと、そして大臣や貴人達の噂になるのを断じて避けることを約束してください」

乙は清少納言の話を聞いて素直に肯いた。清少納言は続けた。

「私はこれから草紙の中で乙のことも脩子様のことも書くことはありません。たとえ書いたとしても、その人とわからないように工夫して書きます。乙は文章を作るのが上手だから、このことをよく肝に命じて忘れないでいてください」

乙は大きく肯いた。さらに清少納言は続けた。

「これは最後のお願いです。私の書く文章はまだ途中なのです。皇后様のことを考えると、どこまで書き記してよいのか思案中なのです。落ちつき次第、私の方から乙に便りをします。草紙を本にしたいと考えているのです。ぜひ乙は手伝ってください」

乙は清少納言に向かって、再び深く肯いた。清少納言はほほえみながら乙に別れを告げ、三条宮を去っていった。

五　一条帝《いちじょうてい》への思い

一条帝は脩子内親王《しゅうしないしんのう》を非常に可愛がった。三条宮《さんじょうのみや》にやって来ると内親王を抱き上げたり、笑いながらあやしたりして、いつもご機嫌《きげん》な様子だった。脩子内親王は少しずつ成長し、女房達と落ちついた日々を送っていた。

乙は成長し黒髪が長く伸び、小袿《こうちぎ》姿がよく似合うようになった。乙は宮の生活にも慣れ、帝が訪問するのを待ち遠しく思うようになった。帝は子供達の前でよく笛を吹いた。松を吹く風の音や川のせせらぎや鶯《うぐいす》の鳴き声の真似《まね》をしたりした。どれもその特徴をとらえていて、子供達だけでなく女房達も歓声を上げた。時に人を食う鬼だと言って、鋭い音色で笛を吹いた。

乙は帝が吹く響きに深い悲しみを感じ取った。乙は帝に尋ねた。

「どうして鬼を吹かれたのですか」

「人の心に鬼が棲《す》むというのはまことだと思うか」

「どうしてそのように思われるのですか」

「私のもとを訪れる者は自分の家の勢力が増えることのみ気にしていて、多くの民がさまざまな場所で働いていることを考えていない。お前は童女として内裏にやってきた。しかし、帝が何をしたらよいかを考えるのは何とお前が歌う詩の中にあった。人の心の中には時として鬼が棲む。それは仕方のないことだ。だが、その鬼を排して仏とするのも帝の責任と考える」

乙は下を向いて帝の言葉を聞いていた。

「お前は帝の気持ちを歌にして教えてくれる。そのように伝えてくれる者は亡くなった定子のほかに今、乙しかいないのだ」

帝はしみじみと話したあと、庭を眺めた。


ある日、乙が机に向かっていると一条帝は笑いながら部屋に入ってきた。入ってくると乙の書き物を屈《かが》んで取った。帝は乙に構わず書き物の中から歌を一つ選んで詠じた。

くるすののひむろの氷いつ迄か
結ほゝれつゝとけしとす覧《らん》

来栖野《くるすの》の氷室《ひむろ》の氷が凍ったまま解けないように、私も気がふさぎ、うち解けまいと思うのです、という歌だった。帝は一言、「いい歌だ」と言った。乙はいぶかしがった。自分の歌の評価を聞くのはこれが初めてだった。

乙は言った。「まだ、誰にも習ったことがないのです」

帝は真面目な顔で乙を見た。

「歌を習うことと歌のよしあしとは関係のないこと。心に思ったことを素直に詠《よ》みなさい。乙にはその才があります」

乙は帝に言った。

「一心に思う歌ができないのです」

帝は即座に答えた。

「一心になれないことこそまことなのです。私も一心になりたいと考えていますが、なかなかそうなれません。人は何かを成し遂げようとするとき、そのことに夢中になります。けれども往々にして、その目的に辿りつけません。辿りつきたいと思っても何かの邪魔が入ったりします。また辿りついたと思っても、またその先に道が現れたりします。人の道は迷いの連続です。迷いの中にこそ自分を外から眺める機会があります。淋しく悲しい気持ちのとき、それを外から眺める歌ができます。それこそ侘歌《わびうた》です。侘歌は人を恋する気持ちがなくては生まれないと考えています」

「なぜそう思われるのですか」

「私はあなたの歌の中に自らの悲しい気持ちを外から眺めているものがあると感じるからです。その歌は深く、誰もが書けるものではありません。あなたには書けるでしょう。佗歌《わびうた》を書いてごらんなさい」

乙は初めて帝の顔を見た。端正《たんせい》で凛《りん》とした気が漂っていた。乙は皇后定子をふと思い出した。帝が帰ってから乙は一首、自分の作った歌の返歌を想像して書いた。

草深きひむろの氷埋《うず》もれて
したにきゆともとけはてめやは

草深い氷室《ひむろ》の氷は、埋まって下に消えると解けてなくなってしまうのでしょうか。いや、なおどこかに残っているはずです。

書きながら、乙は帝のことを考えていた。一心に思う歌は書けなかった。

以来、乙は帝の来るのを心待ちにした。乙は自分の気持ちを歌に託してみた。

あふ事を頼めぬにたに久方《ひさかた》の
月をながめぬ宵《よい》はなかりき

ただ逢うことだけを頼みさえするのです。あなたを待ちながら月を眺めない日はないのです。

乙は幸せであった。夢中になっている自分が不思議に思われた。このような気持ちを味わえることが貴重に思えた。

帝は乙の歌に次の返事を書いた。

ながめつつ月にたのむる逢事《あうこと》を
雲井《くもい》にてのみすきぬへき哉《かな》

月を眺めながら逢瀬《おうせ》を頼みましたが、その頼みも聞き入れられなかったようです。

帝は乙の心を思い、やさしい気持ちで便りを書いた。帝は定子を亡くしてから落ちつく暇もなく、公務に向かわざるを得なかった。

逢うことをおほつかなくてすくす哉《かな》
草葉《くさば》の露のをきかはるまて

浄土で定子と逢うことを待ち遠しく思っています。たとえ生きている間がつらくても、逢えることを楽しみにしています。

乙はこの歌を手にした時、どうしてよいかわからなかった。帝の切ない気持ちが伝わってきたからだ。一条帝の手紙を見て、その待ち遠しい気持ちに思いを馳《は》せ、歌を送った。秋となったしるしに霧が一面おおい、ますます逢うのが難しいのではありませんかと。乙の人恋い初《そ》めしころのことだ。

いとどしく覚束《おぼつか》なさやまさりなん
霧たち渡る秋のしるしに

やがて乙は成長した。一人で西寺《さいじ》を訪ねた。荒れ果てた寺だった。ポツンと鐘が一つ置かれていた。突然、乙の心に寺の鐘が響いてきた。境《けい》内《だい》の池に薄桃色《うすももいろ》の蓮の花が咲いていた。乙は小走りにかけ寄ると、そっとその花びらに触れた。その刹那《せつな》、花びらが手の中にこぼれてきた。乙はひどく悲しい気持ちになった。思わず乙の口から歌がついて出た。

人知れぬ涙は罪の深き哉《かな》
いかなる池のはちすおふらむ

人知れない涙は前世の罪が深いせいでしょう。どのような浄土に生まれ往《ゆ》くのでしょうか。一条帝の顔が浮かんだ。女性は五障《ごしょう》があるから罪深いのだろうか。離れていった皇后定子や清少納言を思った。

翌日は嵐であった。乙のいる三条宮は激しく揺れた。古い普請《ふしん》で風が吹き込んだ。仕える女達は皆、部屋に入ったきり出てこなかった。乙は一人奥の間の文机《ふづくえ》に向かい、紫式部の日記を読んでいた。暗い部屋だった。日記の中に走り書きした歌があった。乙は目を凝らして読んでみた。

たれか世に長らへて見ん書きとめし
跡《あと》は消えせぬ形見《かたみ》なれども
（新古今和歌集）

誰が世に生き長らえて見るでしょうか。書きとどめたあなたの筆跡は、消えないでいつまでも残っているのに、あなたは、はかなくなってしまいました。私はいつまでも生きていて、あなたを思い出します。

乙は、ふうっとため息をついた。恋はいつも永遠のうしろにあるものだと思った。

六　乙《おと》、能因《のういん》と共に清少納言を訪ねる

皇后定子が亡くなってから一年程で清少納言は三条宮を去った。一条帝は清少納言を心配して源忠隆《みなもとのただたか》を使者として摂津《せっつ》に使わした。けれども、心配は不要とのことで帰されてしまい、清少納言の生活ぶりはよくわからないままだった。

一条帝の心配を知って、乙は清少納言を訪ねることにした。清少納言は摂津の藤原棟世《ふじわらのむねよ》の邸にいる。一人で訪ねるのは不安なので、叔父《おじ》の為政《ためまさ》に相談した。為政は文章生《もんじょうのしょう》の能因に同行を頼んだ。能因は大学寮に入学後、文章道を為政に習っていた。能因は為政から清少納言の話を聞き、『枕草子』に興味を持った。ぜひ文章を書き写したいと希望した。乙もしばらくぶりに清少納言の安否《あんぴ》を尋ねたいと為政に言い、二人は摂津の清少納言の住む家を訪れることになった。

七　橘則長《たちばなののりなが》との出会い

橘則長と初めて出会ったのは、能因とともに清少納言の住む邸に行った折のことだ。乙は姉のように慕っていた御匣殿《みくしげどの》が亡くなって間もなくで、沈むことが多かった。乙の身の上を誰よりも心配したのは能因だった。乙の叔父慶滋為政《よししげのためまさ》は文章生の先輩だったが、その為政を介して能因と則長は友人だった。

一方、能因は清少納言の書いた『枕草子』を一部読んで、とても感激した。何より他の文章にはない新しさを感じた。能因は清少納言に会って『枕草子』の内容を詳しく知りたいと考えた。元気のない乙も京を離れれば少し元気を取り戻せるのではないかと能因は考えた。

能因の予感は当たった。乙は京を離れると、俄に元気を取り戻した。摂津へ向かう途中で能因はさまざまな歌枕《うたまくら》の話をした。歌に詠み込む言葉や名所の地名などについてだが、その名所をすべて見て回りたいと話した。乙には能因が旅行家のように思えたが、自分の関心は歌枕ではなく、歌の心に関心があると思った。

能因は都から出て乙の顔が明るくなり、安心した。途中で、「わが庵は都のたつみしかぞすむ世を宇治山《うじやま》とひとはいふなり」と喜撰法師《きせんほうし》の歌を詠じてみた。そして、「この歌の作者は仙人で、雲に乗って飛んでいってしまったらしい」と言うと、おかしく思ったのか乙は大笑いをした。能因はその笑顔を見て喜んだ。

能因は清少納言のもとに、その息子で友人の橘則長《たちばなののりなが》がいるのを知っていた。歌に熱心な乙に少し無骨《ぶこつ》だけれど学究的な則長は案外合うのではないかと考えた。乙を則長に紹介すれば清少納言も心が緩《ゆる》み、枕草子を読ませてくれるだろうと能因は考えた。清少納言のいる藤原棟世邸では、めずらしい二人の客の訪問で急に賑《にぎ》やかになった。

能因は清少納言に近ごろの乙の不安定さを伝えて何とか元気にしたいと話した。清少納言は乙の苦労を顔を見た瞬間に見抜いた。皇后定子が亡くなった後の自らのつらさを思い出し、後輩の乙を元気にさせるにはどうしたらよいのかと考えた。

能因は提案した。「乙は歌が好きだし、御子息《ごしそく》、則長も歌が好き。二人はどこか通じあうところがあるのではないか」と。

息子の相手に乙はどうかと言われて、清少納言は宮中で働いたことのある女房は他の人とは違うと考えていたので、この提案に乗り気になった。そこで清少納言と能因は、できる限り乙と則長を二人きりにした。

そうとは知らず、二人のお蔭で若い者同士の距離は縮まり、歌の話だけでなく、それぞれの生い立ちや夢の話などをするようになった。清少納言の所に来てから半月ほどたって、二人は結ばれた。

けれども、その後何の理由かわからないが二人は別れてしまった。乙と橘則長との同棲《どうせい》は半月で終わった。当時の乙の歌が残っている。対馬守大江嘉言《つしまのかみおおえのよしとき》を見送る歌の中だ。

いとはしき我が命さへゆく人の
帰らんまでと惜《お》しくなりぬる
（後拾遺和歌集）

自分の命を捨ててしまいたい。けれども行く人が帰るまで待ってみようかと命が惜しくなります。代筆だが、自分を嫌う、その当時の乙の気持ちが現れている。乙にとって則長との関係は青春の苦い思い出として薄れていくことになる。後年、二人は歌の贈答をしているが、お互いに熱い思いを持つことはなかった。

いずれにしても清少納言と能因の夢は潰《つい》えてしまったが、そのおかげと言うべきか、能因は『枕草子』を写し、世に広めるもととなったのだから不思議というほかない。乙は能因に連れられて三条宮に戻った。

八　藤原公任《ふじわらのきんとう》の歌合《うたあわせ》　――藤原定頼《ふじわらのさだより》との出会い――

藤原公任は童女御覧《わらわごらん》での乙の印象が、頭に焼きついて離れなかった。帝の前ではっきりと詩について話をしていた。帝に強い印象をもたらしただけでなく、控えている大臣一同にも乙の言葉は強い印象を与えた。幼くして詩の心を持つ童女と話をしてみたいと思った。

皇后定子が亡くなった後、脩子内親王は女房達と三条宮にいた。一条帝は娘と会うのを楽しみにして、よく内裏からほど近い三条宮を訪れた。また、内親王の教育を考えて藤原行成《ふじわらのゆきなり》と乙の叔父慶《よし》滋為政《しげのためまさ》に三条宮を訪問させた。

皇后定子亡き後、脩子内親王を助ける立場にあった公任は、大納言《だいなごん》である藤原実資《ふじわらのさねすけ》に歌合の相談をした。

「近々自分の所で形式にとらわれない新しい形の歌合を計画している。自宅で行なう私的なものだが、家人《けにん》の慶滋為政《よししげのためまさ》の姪の乙に手伝ってもらうことはできるだろうか」

藤原実資は八年前の童女御覧で乙の詠じた漢詩をよく覚えていた。実資は尋ねた。

「あの童女は無事大きくなられたのか」

「はい。今、三条宮で脩子内親王に文章を教えております。そこで折り入ってお頼みがございます。明年一月に行なう十五番歌合の手伝いに乙をお借りしたいのですが」

実資はこの相談を受け入れ、公任邸での歌合の手伝いに乙を行かせることにした。

歌合前の準備をする日に、乙は公任の邸にやってきた。童女御覧で見た童《わらわ》ではなく、長い黒髪が似合う立派な女房となっていた。

公任が言った。

「これから十五組の歌合を行なう。一人一首と限り、歌題も決めず判定もしない歌合をする」

「どうしてそのようにするのですか」

公任は答えた。

「歌合は遊宴《ゆうえん》でもなければ物合《ものあわせ》でもない。そこに参加した人が感じたままに優劣をつければよい。心ふかく姿きよげで心をかしき歌があれば、それがすぐれたりと言うことができる。それを探すのが歌合だ。私は時代を問わず三十首の歌を選んだ。これを十五組に分けて並べてみる。自ずとどちらが優れているのかがわかる」

そう言って歌を並べた。

乙は仕事を命じられる前に三十首の歌に目を通し、十五組の歌の勝ちに印をつけた。

公任が尋ねた。「どのような理由で勝負をつけた」

乙は答えた。「理由はありません。ただ心に残るものを選びました」

公任は乙の選んだ歌を見た。十一番の小大君《こおおぎみ》の歌に丸印がつけてあった。歌の意味はこうだ。

醜い私は葛城《かつらぎ》の神のように明け方になるのがつらい。あなたはきっと私に愛想《あいそ》をつかして逢瀬《おうせ》の約束を絶ってしまうでしょう。

公任は不思議に思って乙に尋ねた。「なぜ松風が共鳴する琴の音の歌と比べて、この小大君の歌を選んだのか」

乙は答えた。「心の底から出る歌が真《まこと》と考えます。心と姿が美しきとき、まず心をとるべしと歌の本で中納言様は述べておられます」

公任は笑って言った。「なぜこの歌は心が深いと思ったのだ」

公任はそう言って、小大君の歌を詠じた。

いわはしのよるのちぎりもたえぬべし
あくるわびしき葛城《かつらぎ》の神《かみ》

（拾遺和歌集）

乙は答えた。

「誰が自らを厭《いと》わしきものと考えて歌うでしょうか。自らを厭わしいと歌う者は、本当は自らの希望を力の限り探している者です。私は、容貌《ようぼう》の醜《みにく》いのを恥じて夜だけ仕事をしたため石橋が完成しなかった葛城《かつらぎ》の神《かみ》のたとえを引くこの歌をこの中の一番と考えます」

公任は手伝いに来た乙に歌を学ぶ思いがした。

公任と乙が話をしていると、息子の定頼が二人の話に割り込んできた。「二人で何をしているの」

乙は答えた。「歌合のお手伝い」

「歌合なんて何の役に立つの」

乙は、この腕白盛《わんぱくざか》りの定頼を好ましく思った。脩子内親王と同年代だろうか。乙は面白く感じて定頼に尋ねた。

「あなたにとって役に立つことは何」

定頼は元服《げんぷく》したばかりで、大人の髪がよく似合っていた。目がクリクリと輝いていた。

「雅楽《ががく》、読経《どきょう》、書《しょ》は役に立つ。歌は誰でも作ることができる」

そばで二人のやりとりを聞いていた公任は笑いながら、

「こいつは誰でも歌を作ることができると思っているんだ。そして貴族の歌に優劣はないと思っている」

乙はこのやんちゃ坊主のような定頼と少し話をしたくなった。

「歌に優劣がないと思っているの」

定頼は肯いた。そこで乙は衣づつみの中から『新撰髄脳《しんせんずいのう》』の本を出した。公任は少し驚いたふうだった。その本を読んでいる人は少なかったからだ。定頼は聞いた。

「その本、誰が書いたの」

「あなたのお父様」

「へー。そこに何が書いてあるの」

「ところであなたは大人になったの」

「もちろん」

「それなら、ここはわかる」

乙がその中の一頁を指さした。

定頼は読んだ。

「凡《およ》そ歌は心ふかく姿きよげにて心にをかしき所あるをすぐれたりといふべし」

定頼の声はたどたどしかった。

乙は言った。

「あなたが本当の大人なら、この言葉がわかるはず。わからないのなら」

定頼が下を向いた。素直に話した。

「わからない」

乙はしばらく黙っていたが、やさしく話した。

「良い歌を読むといいわ。私のところに遊びにいらっしゃい。脩子様と一緒に学ぶといい」

そばで父の公任はニコニコ笑っていた。

乙は尋ねた。

「心と姿と申されますが、どちらが大切ですか」

「先《ま》づ心をとるべし」

「心が深くないときは」

「姿を大切にとるべき」

「姿とはどのようなことですか」

「ふと耳にして、平易《へいい》で整っていて、風情《ふぜい》があり、詩歌《しいか》として聞こえる。そこに文字が添えてあるものだ」

「どのような姿形がよいのですか」

「上《かみ》の三句に歌枕《うたまくら》を置き、下《しも》の二句に思う心を表せばよい」

公任はいくつかの歌を選んで乙の前に示した。乙はその歌を何度も心に留めようとした。

定頼と乙が知り合ったのは歌合の機会だったが、乙は公任の歌論書《かろんしょ》が二人を引きあわせたと考えていた。

定頼は後年、この乙を好きになるのだが、最初は乙を近寄り難い少し大人の先生のように感じていた。

九　別離　――一条帝の死――

皇太子を誰にするかで一条帝は道長と良好な関係ではなくなっていった。寛弘八年（一〇一一年）五月、一条天皇は病に倒れた。体が元々丈夫でなかった帝は、皇后定子との間にできた敦康親《あつやすしん》王《のう》を皇太子にしたいと考えた。一方、当時の政治の実権は藤原道長にあり、一条天皇は道長の子、彰子《しょうし》との間に敦成親王《あつひらしんのう》をもうけていた。次代の天皇は叔父冷泉天皇《れいぜいてんのう》の皇子《おうじ》が立つのだが、その皇太子を誰にするのかが問題となる。結局、側近《そっきん》の藤原行成《ふじわらのゆきなり》にも勧められ、寛弘八年（一〇一一年）六月十三日、敦成親王を皇太子と定めた。

そのような折に一条帝に乙からの手紙が届いた。帝を思う歌が書かれていた。

ふかからぬ人の上まで苦しとや
うきみにそへて物《もの》を思わん

つらいことの多い身にそえて、親しい間柄でない人の上に及んで苦しいもの思いをしていることでしょうか。

一条帝の心に触れ、帝は乙に便りをした。一条帝はしばらく三条宮に足を運んでいなかった。帝からの便りを喜んだ乙は、どうしたら一条帝に逢えるのかと尋ねた。一条帝も逢いたいと思った。しかし、二人は逢える状況ではなかった。

わたらしや磯の懸橋《かけはし》ふりぬたに
まとをにみゆる中の景色《けしき》を

三条宮は遠くに見え、もう行けないだろう。せっかく知りあって間もないのに。帝は病人として半ば床に伏す身になっていた。たとえ何か外に出る機会ができても、もう逢えまいと思っていた。

帝は乙のことを思っている。乙のことを忘れることはない。今は乙との距離が遠ざかってしまうようにみえる。しかし、どうか乙を思っていることを忘れないでくれと便りした。

歌には帝の切実な願いがこめられていた。帝は歌のほかに文を添えてきた。「乙への最後の言葉である。思いつくことは何でも、もの思う女の身としてもう忘れてしまったことも思い出し、今覚えていることも書いて私に見せてくれ」と言ってきた。

乙は帝と逢えなくなるという言葉に強い衝撃を受けた。たとえ書いてくれと言われても落ちついて書ける気分ではなかった。帝は病状を手紙に書くことが禁じられていた。乙は母が出て行った時のようだと思った。たとえどんなに自分のことを思っていると慰められても、再び逢えなくなるのは耐えがたいことだった。乙は悲しみの中で歌を詠んだ。

汐たれてよそふるあまもこれは又
かき劔《けん》方《かた》もしらぬ物をは

涙に濡れて日を送っている私の心は、あまりの打撃で歌を書く方法もわかりません。
すぐに帝から返事が来た。

よさの浦に藻《も》汐《しお》草《ぐさ》をは掻《か》きつめて
物《もの》あらかひは拾《ひろ》はさら南《なん》

「どうか侘歌《わびうた》を書いてください。今、言い争いをしている時間がないのです。一心になれないことこそまことの侘歌。侘歌こそまことの恋歌です。歌を書き集めてください」
帝にそう言われても、乙には帝の切迫した気持ちがわからなかった。帝は自分の最期が間近に迫っていることを知っていた。早く乙の歌を読みたかった。しかし、乙は素直に帝の言葉を信じることができなかった。

うきめかる心ならひにしほすきて
うたかひたえすよさの浦人《うらびと》

あなたに逢えないなら、つらい思いの中で物思いに沈み、また帝の言葉を疑っている私なのです。
明け方、風がヒューヒューと悲しい音を立てていた。逢瀬《おうせ》の短さを恨むかのような昨夜からの風の音を聞いて、乙は歌を詠《よ》んだ。

暁《あかつき》の露《つゆ》は涙もと、まらて
うらむる風の聲《こえ》そのこれる

乙は帝のことを少し恨んでいた。自分のことを嫌いになったから、もう逢わないと言ったに違いない。そして、私から逢いたいと望むのを避ける口実として歌を書き送ってくれと言っているのだと思った。帝の使者が時々手紙を持ってきた。帝のことを聞いてもはっきり答えない。ちっとも誠実に答えてくれない。そして、何か帝に伝えることがあるかとしきりに聞くので落ちつかず、じっくりと考えて歌を詠むことができない。思いつつ寝ればその人が見えるという小野小町の歌を思い出して書いた。

逢事《あうこと》そやかて物《もの》うき暁《あかつき》の
夜ふかきをわれおもひいつれは

夜深く思いを辿《たど》って逢えたとしても、やがて憂鬱《ゆううつ》な別れの朝になると考えてしまうのです。
帝は内裏にいて不安だった。どこで検閲《けんえつ》の憂《う》き目《め》にあうか、内容が誤って伝わるかもしれない。
それでも、何としても死ぬ前に真意を伝えたいと思った。そこで手紙には、これは帝が自ら書いたと記してあった。そして、端《はし》の方に歌の走り書きがあった。

逢事《あうこと》は猶《なお》よそ乍《なが》らなからへよ
とく忘れなはとくやなけかん

乙と逢うことはもうこの世ではありません。あの世で逢いたいと思います。どうか乙に歌を書いてほしいと言ったことを忘れないでください。すぐに忘れてしまうのならば私が嘆くことでしょうから。

乙は初めて帝の異常に気がついた。帝に何かあったに違いない。乙はたまらない思いだった。何と私はひどい女なのだろう。帝の真意を知らなかった。あんないい人をどうして私は恨んでいたのだろう。何とか助けてほしい。何とか帝を助けてほしい。病気なのだろうか。捕われの身なのだろうか。ものの怪《け》のしわざだろうか。乙にはわからなかった。しかし、じっとしているわけにはいかない。乙は内親王に帝と逢えるよう取り計《はか》らってほしいと頼んだ。内親王は殿上人にうまく話をしてくれた。乙は数日のうちに帝と部屋を隔てて逢うことを許された。

乙の通されたのは落ちついた部屋であった。部屋を隔てて人のいる気配がした。人の動く気配がなかった。シーンとしていることが乙を不安にさせた。

突然、乙の耳に帝の澄んだ声が響いた。

「どうか、まことの侘歌を作ってください」

はるか遠くから聞こえてくるようだった。乙は帝の生きている姿を確認して満足した。逢ったとたん、今までの誤解もすっかりとけてなくなった。帝との面会はわずかな時間だった。帰りに仏性寺《ぶっしょうじ》で自分の不明を恥じ、許しを乞《こ》うた。そして何とか帝の身が安全であるように祈った。歌を詠んだ。

有明《ありあけ》の月はなかめし今よりは
物思《ものおも》ふつまとなりまさりけり

もう一緒に有明の月を見ることはありません。これから物思う恋人となっていきます。二度と逢うことはないと知りました。

使者に歌を託して、何とか帝に渡すことに成功した。内裏にいる帝は歌を書くことだけが許されていた。返事が届いた。歌が三首あった。今までにないことである。

山かつの垣根《かきね》のこかけかけみねと
もりにし月を哀《あわれ》とそみし

袖ふれてなれぬ中にもから衣
さてのなこりは物《もの》を社《こそ》おもへ

かたをかの岩根のこすけ今更《いまさら》に
みたれやまさん人に靡《なび》かは

私は今、乙に逢うことができません。その代わり、私達を月の光が見守ってくれています。月の光を見ると、私達は別れなければならないことが悲しく思われてきます。

あなたと部屋越しに逢うことができました。失意の中で乙に逢えてとても幸せでした。短い時間でしたが、とても大事に思えました。乙の帰っていくのが名残惜《なごりお》しく、ずっと乙のことを考えていました。

私は病気となり死を決意してから、淡々と死に臨《のぞ》みたいと思っていました。そしてそれができるものと思っていました。しかし、あなたに逢ったとたんにその決意は揺らぎ、あなたへの思いが勝《まさ》り、心が乱れるのです。

帝からはしばらく便りがなかった。ある時、使者が一通の古びた紙に書いた歌を持って来た。

かへせ共《ども》うらめしからぬ心哉《こころかな》
夏野《なつの》のくすのうらはならねは

人生を取り返すことができたらと恨めしい気持ちになっています。しかし、夏野の風が吹いて裏返る葛の葉のように態度を変え、死んで魂とならない限りかなわないことを知っています。

乙は何とか帝を励ましたかった。すぐに歌を送った。

をたまくり葛《くず》の裏葉《うらは》にあらね共《ども》
帰らぬ野へはなしと社《こそ》きけ

つむいだ麻糸をまるく巻きつけた葛の裏葉ではないけれど、帝は生きていてまだ魂となってはいないので、仕事ができてやり直すことができると思っています。どうか、元気をなくさないでください。

しかし、帝から返事は来なかった。乙には宮中の様子を尋ねるすべがない。帝は寛弘八年（一〇一一年）六月二十二日、病気で亡くなった。乙はそれを人づてに聞いた。乙はやはりそうだったのかと思った。その時の気持ちを歌に詠んだ。

忘るとも行く覧《らん》方《かた》を思ひては
とまらぬ人はあらしとをしれ

一条帝との出会いや話したことは、もう細かく思い出すことはできません。しかし、その姿を心に思い浮かべると、強い影響を与えてくれたことがわかります。将来、一条帝を思い出さない人はいないでしょう。今、しみじみと帝の思いを辿っています。

それから少し日がたつと、乙は一人で先に逝《い》ってしまった帝をどうしても恨《うら》めしく感じてくるのだった。その時の気持ちを歌に詠んだ。

ゆく方もとむめる道もまたしらぬ
程《ほど》になきなのたちにける哉《かな》

あなたは生前、どこに行くのか、またあなたをどのように訪ねるのか、何も教えてくれませんでした。それなのに、もう身に覚えのない噂が立つのです。

十　乙《おと》の失意

乙は帝が亡くなってから脩子内親王ともども喪に服した。乙は一条帝が亡くなった後も帝が訪れるのを待っていた。死を受け入れられなかったのだ。「一条帝は私達の行く先を静かに照らしている。私は帝がこの家にいるのを感じる」と乙は脩子内親王に言った。

さらに続けた。

「私はこれからも一条帝とずっと逢えると思っています。あの大谷の煙となって漂っているのです。私に侘歌《わびうた》を作ってほしいと話してくれました。きっと今も私を見守っていることでしょう。帝は皇后様を思って亡くなっていきました。私は唯《ただ》一人、ここに取り残されています。大谷の煙は今も漂っていて、草の露を探し求めているのです」

乙は庭で空を見ていた。脩子内親王が尋ねた。

「何を見ているの」

「帝が煙となって空を漂っているのを探しています」

脩子内親王は静かにそばにいた。夜になって乙は風の音を聞いていた。じっと外を眺めた。乙は自分の心をどこに預けてよいのかわからなかった。もし帝が生きていたら、乙は遠くからその帝の姿を眺めていたのかもしれない。好きな人が消えてなくなったとしても、それが心の中で納得いくものだったなら普通の初恋として終わり、その後の異常な行動に結びつかなかったのではなかろうか。けれども、乙の好きになった対象は今、忽然《こつぜん》と消えてしまった。童女御覧《わらわごらん》の時に出会ってから、何度もやさしい声をかけてくれた帝をいつもそばに感じていた。その方は今もそばにいると思った。帝が生きていた時には充実した日々があった。

一条帝が亡くなってから、乙の行動は少し異常なものとなった。

十一　絶望

乙はしばらく放心状態《ほうしんじょうたい》でいた。何をしたらよいのかわからなかった。一条帝が亡くなって間もなくのことだった。一条帝の崩御《ほうぎょ》を知った三日目には、若い使者を部屋に連れてきた。乙は終日大声で話をしたり、奇妙な歌を歌ったりした。

乙のそばにいた女中につたという女がいた。まだ十八歳だが、しっかり者だった。つたは乙の知的な魅力にひかれていた。乙の部屋から聞こえてくる嬌声《きょうせい》は、つたの気持ちをひどく傷つけた。

「帝も浮かばれないねえ」

女中達の合言葉だった。しかし、つたはどうしても乙のことを嫌う気持ちになれない。帝が病死するまでの一途《いちず》な乙の態度を見ているると、なぜか女中達の言葉に釈然《しゃくぜん》としないものを感じていた。

ちょうど帝が亡くなってから四十九日後の夕方である。いつものように部屋に膳《ぜん》が並べられ、乙は女房達と食事を始めた。女房達の中で坂田と呼ばれる侍従《じじゅう》が誰に言うこともなく口を開いた。

「私だったら一心に念仏《ねんぶつ》をあげて亡くなった人のことを思うけど、乙もいいかげんにしたらどうなのかしらね」

居並ぶ女房達の心を衝《つ》いた言葉に、皆の視線は一斉に乙に向けられた。皆の目は好奇心でいっぱいだった。乙は平然と聞いている様子だった。その傲慢《ごうまん》ともいうべき態度と、僅《わず》かにびんのほつれた白い顔が印象的だった。部屋に帰った乙の異常に気がついたのは女中のつただった。うつむきかげんにじっと前を見据《みす》え、香炉《こうろ》から上がる煙を一心に口に運ぼうとしていた。

乙が首つり自殺を図ったのは、その晩のことである。乙の異常を直感したつたは、いち早く部屋に忍び込み、首をつっていた乙を引きずり降ろした。そばに書き散らされた乙の手紙があった。一条帝が亡くなった後も丹念《たんねん》につづられていた。

その一ページには、こう記されている。

今も忘れることができないでおります。心はうつろで、何をしてよいのかわかりません。心の底には何もないようです。ただ、日々の仕事と装いは変わりません。おかしくないのに笑います。話したくないのに話します。あなたがいないと考えることができません。死にたくても死ぬ勇気がありません。生きたくても生きるのぞみがありません。皆に嫌われているように思います。でも、嫌われたってかまうものですか。私の心はうつろで何をしたって甲斐《かい》のないものですから。私は一条帝が好きでした。今だって好きなのです。でも、亡くなってはかないあなたにどうやって私の気持ちを伝えたらよいのですか。何をしたらよいのですか。何もできません。何もわかりません。それでも一日は過ぎ一日は暮れていきます。私の中の思いは今も変わらず、いや逢えないと思うとなおいっそう募るばかりなのに、あなたはどこにもいないのです。私にはあなたがいないということがどんなにつらいことか、ようやくわかり始めてきました。いえ、つらいのではないかもしれません。少しもつらくないのかもしれません。ただそう思い込んでいるだけで、すぐ忘れるにちがいないと思っています。皇后様のことを思い、脩子様の成長を楽しみにしていた帝が突然亡くなってしまって、私はこれからどのように生きていくのでしょう。少しもそばにいてくださらなかったあなたは、きっと極楽浄土《ごくらくじょうど》で楽しく暮らしていくでしょう。私は地獄へ行くのです。どうせ、酷《ひど》い女なのですから。私には、それでも私の詠んだ歌が忘れられないと言ってくれた帝の声と姿がまだ忘れられないのです。いいのです。いつか私は狂うでしょう。いつか地獄に行くのです。誰にもわかってもらえなくていいのです。誰にも愛されなくていいのです。私は死ぬために生きているのですから。

十二　侘歌《わびうた》を探して

乙が自殺を図ってから、邸では凶事《きょうじ》を嫌って乙の部屋を北向きの小部屋に移した。女中達は退けられ、つただけが乙を介抱《かいほう》した。乙は一週間ほど寝ていた。高熱が続き、うわごとを話していた。しきりに帝の名前を呼んでいた。その度につたは乙の手を握り、南無阿弥陀仏《なむあみだぶつ》の経《きょう》を唱《とな》えた。つたの介抱のかいがあって一週間後には乙は床を離れた。乙はそれ以来、ほとんど話をしなくなり、白い顔は青味を帯びたものになった。乙は机に向かって歌を書くようになった。心を落ちつけるために帝にあてて一人で歌を書き始めた。返歌も自分で作った。どうしてもつらくなり、帝を恨む気持ちで作った。

　放れにし駒《こま》のおりにも我ならぬ
　人をはえ社《こそ》なつけさりけれ

帝は私と逢った時に、多くの人を幸せにしたいと言ったけれど本当でしょうか。私は迷っています。

返歌（乙の作）

はなるれとあらふる駒《こま》のなき物を
君か心はなつきしもせし

死んだからといって情が薄くなるということはない。乙が私のことを隔てているのだ。
乙は帝の言葉を書いて安心したかった。しかし、乙の心は納得《なっとく》できなかった。

引かへてなつけむ駒《こま》の綱《つな》たえに
いか丶のかひの人はみるへき

私を好きだと言ってくれても、馴れ親しんだ駒の綱が切れたように、亡くなってしまったあなたをどう思えばいいのですか。思い出すことすらできないのです。

帝からの返歌（乙の作）

いかにせんみこもり沼の下にのみ
忍ひ餘《あま》りていはまほしきを

私はあなたに伝えたいことがたくさんあるので、身がこもるという沼のもとに忍んで話をしたいのですよ。

乙はこれを書きながら、帝の言葉をふと思い出した。

「一心になれないことこそまことなのです。それを侘歌《わびうた》として書いてください」

乙ははっきりと帝の姿と声を思い浮かべることができた。不思議な気持ちだった。侘歌を書いてみようと思った。心が軽くなっていくのを感じた。

うきてのみ末も流れぬ沼ならは
影みるおりもあらしとそ思《おもう》

どうせ、つらくどこにも逃れることのできない現世であるならば、あなたの言葉を思い出し、その願いに情熱を託してみようと思うのです。流れのない沼では自分の姿を見る時もないと思いますが。

乙の気持ちは落ちついてきた。どこで乙のことを聞いたのか、情人《じょうにん》を牢獄《ろうごく》でなくしたという元女房と九月の末に会った。その女は情人に捨てられたと嘆いていた。境遇《きょうぐう》が似ていたせいか、心の思いをはらさんと一晩中語り明かした。その晩は風が強かった。

我もこひ君もしのふに秋のよは
思ひいりたるにやもののもいはねは

私もその女も、秋の夜半亡くなった人や去っていった人をしのんでいます。そのうちお互いに黙り込んで、いなくなった人のことをじっと考えています。いなくなった人を思っていると、私の心と体に寒い風が吹きつけてくるのです。

じっと乙は帝のことを思い出していた。ふと、最後に部屋を隔てて逢った時のことを思い出した。帝の顔が心に浮かんだ。在りし日の声が心に響いた。

「どうかまことの侘歌《わびうた》を作ってください」

帝の生きていることを知った時のほっとした気持ちを思い出した。恨みが一瞬で解けた気持ちだった。仏性寺《ぶっしょうじ》で詠じた歌が口をついて出た。

有明《ありあけ》の月はなかめし今よりは
もの思ふつまとなりまさりけり

心の底に喜びがわいてきた。明るい光が少しずつ射してくるようだった。乙は帝の言うように侘《わび》歌《うた》を作ろうと決意した。乙は朝早くから文机に向かった。今からつれない夜明けの月を眺めずに物思う女として生きていきましょう。表紙に筆で「思女集《しじょしゅう》」と書いた。序《じょ》の詞《ことば》として次の文を記した。

人しれすもの思ふ事ありける女の、なけかしかりけるままに、おもひけることよ

人知れず思い悩んでいる私が嘆き悲しんでいる心のままに、思い浮かぶことを書いてみます。

つらからん人をはなにかうらむへき
みつからたにもいとはしき身を
(思女集《しじょしゅう》)

つれなかった人をどうして恨むことができるでしょうか。自身も心の底から人を理解できない厭《いと》わしい身なのですから。

乙は自分が情けなく、腹立たしさでいっぱいになった。乙はどうしてよいかわからなかった。落ちついて歌を書く気持ちになれなかった。

その晩のことである。乙は寝つかれずにいた。帝のことを思うとどうしても悲しくなってくる。小窓を開けて空を見た。月の光が射してきた。帝が月の光を見て別離の寂しさを歌ったことを思い出した。乙はじっと月を見た。悲しい気持ちが襲ってきた。

なかめつゝむかしも月はみしものを
かくやは袖のひまなかるへき
(異本相模集《いほんさがみしゅう》)

昔も月の光を眺めたのに、帝が亡くなったことを思いながら月を眺めるこのような晩は、私の袖の乾く暇がないのです。

書き終わると乙は、ふうっとためいきをついた。少し気分が落ちついた。横になって天井を見つめた。うとうとすると乙の心に帝の姿が浮かんだ。帝のそばに乙の姿があった。泣いている姿だった。帝は笑いながら乙を抱きしめた。そのとたん、乙の袖に金色の光が当たった。不思議な光景だった。乙は目を覚ました。歌を書いた紙を月の光が照らしていた。乙はじっとその歌を見ていた。やがて筆を持つと、下《しも》の句《く》を書き直した。

なかめつゝむかしも月はみしものを
かくやは袖のひかたかるへき
（思女集）

昔も月を眺めました。帝が訪れて楽しかったことです。しかし、帝を思うと私の袖に不思議な火がともり、安心した気分になります。

翌朝早く、乙は一人で邸内の庭を歩いた。くもの巣に朝露がおりて白銀色にきらきら光っていた。昨晩の金色の光を思い出した。極楽浄土にいるであろう帝を思い、じっと白露を見つめていた。

ささかにのいとにかかれる白露《しらつゆ》は
つねならぬ世にふかみなりけり
（思女集）

くもの巣にかかった白露を見ていると奥深い浄土を思うのです。
しばらく乙は帝のことを考えないようにした。どうしてもつらく、耐え難くなってくるのだった。先に逝ってしまったことが恨めしく思えてくる。夜になり寝床について帝の夢を見ようと思った。しかし、帝の姿は現れない。毎晩夢を見ようと思って床についたが、いつも徒労《とろう》に終わった。逢えないことに腹を立てたりした。ある晩、琵琶湖の長い湖面の情景が浮かんだ。帝に逢いたいと思った。何とかして逢いたいと思った。すると、帝の声が心に響いてきた。

なみたこそあふみの海となりにけれ
見るめなしてふうらみせしまに
（思女集）

人を恨んでいるうちは私には逢えません。「侘《わ》びの涙」の中で私とあなたは逢うことができるでしょう。
乙には「侘びの涙」とは何なのかよくわからなかった。乙は昼間ぼんやりしている時に帝のことを思った。亡くなって間もないころは、帝を思うと帝が書くであろう歌が書けた。帝の声の響きを思い出した。しかし、時々それが薄れてきた。乙の気持ちは落ちつかなかった。

なかたゆるかつらき山のいは丶しは
ふみ丶ることもかたくさりける

（思女集）

あなたが亡くなってからは、あなたの言葉さえも思い出すことが難しくなってきています。

乙は物事の成就《じょうじゅ》しない例に引かれる葛城《かつらぎ》の神《かみ》を思い出した。葛城の神は一言主《ひとことぬし》とも呼ばれ、役行者《えんのぎょうじゃ》の命で岩橋をかけようとしたが、完成しなかったとして伝えられる。乙は「言葉」の力を司《つかさど》る大神、一言主《ひとことぬし》に嫌われているのだろうかと考えた。乙は少し自分に失望し始めていた。帝は侘歌《わびうた》を作ってくれと頼んで亡くなっていった。帝を恋する気持ちはあっても、心の寂しさを憐れむ侘歌を作る心境にはなれなかった。帝への恨めしい気持ちが先に立った。どこに自分の気持ちを預けてよいのかわからない。何を見ても泣きたくなってきた。勝手に涙があふれ、どうしてよいのかわからない。

庭に出ると、枯れた草に朝露がかかっていた。乙はそれを見ているうちにわけもなく涙が流れた。

わが袖をあきの草葉にくらへはや
いつれかつゆのをきはまさると

（思女集）

私の袖は悲しみで涙にぬれて、露にぬれた秋の草花よりも、しっとりしています。

十三　脩子内親王《しゅうしないしんのう》、藤原隆家邸《ふじわらのたかいえてい》へ

一条帝が亡くなったとき、十六歳の脩子内親王はどこに住むのか考えなくてはならなかった。両親はすでになく、頼ることができないし、母の兄弟は衰えて強い支えにならなかった。左遷《させん》されていた叔父の藤原隆家は帰京して中納言となっていた。敦康親王《あつやすしんのう》の立太子《りったいし》に期待がかかったが、実現しなかった。

脩子内親王は一条帝の亡き後、道長、彰子《しょうし》の庇護《ひご》を潔《いさぎよ》しとせず、隆家の邸に移った。道長の不興《ふきょう》を承知の上だった。乙は内親王の相談役となっており、内親王と行動を共にした。

十四　藤原定頼《ふじわらのさだより》との恋

乙は一条帝が亡くなってから隆家邸にいて何をしてよいのかわからなかった。自殺の騒ぎから、つた以外の侍女達は乙に近づかなかったし、仕事らしい仕事も与えられなかったからだ。

鬱々《うつうつ》とした気持ちを救うため、乙は隆家邸を抜け出して近くの西寺《さいじ》を訪ねることが多くなった。西寺は三条宮から歩いてわずかな距離にあった。

寺を訪ねると、荒れ果てた境内に釣鐘《つりがね》が野ざらしで置かれていた。草むす境内を訪ねる人はいなかった。池は汚れて濁《にご》っていた。蓮の花も咲いていなかった。乙は境内を歩いてみた。打ち続く戦乱と火災で荒れてはいたが、各所に由緒あるたたずまいを残していた。

乙が歩いていくと庫裡《くり》の裏の小さな空地《あきち》に一体の木像が置かれていた。木彫りの像は風雨にさらされ、各所は朽《く》ちて傷《いた》んでいた。夕日の射す中で乙はその木像を眺めていた。木像は蓮華《れんげ》の上で目をつむり手を合わせていた。少しほほえんでいるように見えた。穏やかな表情を見ていると、なぜか去り難い気持ちになった。幼いころ、母に抱かれた時のことを思い出した。乙には特別の信仰心はなかった。八百万《やおよろず》の神々を畏《おそ》れたが、信じる気持ちには至らず、また仏に帰依《きえ》していなかった。乙は木像を見ながら皇后定子と清少納言のことを思い出していた。寺の境内で木像に手を合わせての帰り、西の市を通った。暗くなりかけた中、筵《むしろ》の上に蕪《かぶ》、瓜《うり》、なす、ごぼうが置かれているのを眺めた。その時、偶然定頼と会った。

乙は歌を詠んだ。

いづくにか思ふことをも忍ふべき
くまなく見ゆる秋の夜の月
（続後撰和歌集《しょくごせんわかしゅう》）

どうして好きなことを忍んだらよいのでしょう。秋の月ははっきりと私達を照らしています。

定頼は乙の顔をじっと見て詠んだ。

見る人の心やそらになりぬらむ
くまなくすめる秋の夜の月
（定頼集《さだよりしゅう》）

はっきりとした秋の夜の月の前で、私の心はあなたに夢中になってしまうことです。

二人は恋に落ちた。頻繁《ひんぱん》に手紙のやりとりが行なわれた。


ある時、乙の許に定頼から手紙が届いた。「一条帝のことを忘れて新しく歌を作るのが帝への供《く》養《よう》だ」と書いてあった。乙はその手紙を読んで複雑な気持ちになった。確かに帝はもうこの世にいない。もし幽霊となって訪ねてきても、行く先は自分ではなくて皇后定子の所だろう。今は亡き一条帝のことを思い続けても甲斐のないことだと乙は知っていた。けれど、乙は初めて自分を認めてくれた一条帝を忘れることができないでいた。

定頼は乙に会うと何もそのことに触れず、ただ黙って乙の言葉を聞いていた。乙は不思議な気持ちだった。なぜ若い定頼は亡き一条帝への思いをずっと聞き続けてくれるのか、その理由がわからなかった。

ある時、乙は尋ねた。

「このような甲斐のない言葉をなぜあなたは聞いてくれるのですか」

定頼は言った。

「甲斐のない言葉の中にあなたが求める歌の奥儀《おうぎ》が秘められていると感じるからです」

乙は聞いた。

「歌の奥儀とは何のことですか」

定頼は答えた。

「誰よりもあなたが侘歌《わびうた》を書く素養《そよう》に溢《あふ》れている方とお見受けします。一条帝ならずとも私もそのことをよく知っています。心のしんとする侘歌を作ってください」

「侘歌を書く素養とは何のことですか」

「あなたが記す歌の中に私には書けない尊いものを感じます。心より出る歌が何より清げなのを私は知っています」

定頼の真剣な顔つきに乙は一条帝と同じひたむきさを感じとった。

一人で寝ていると、定頼の言った言葉が思い返された。

「心のしんとする侘歌を作ってください」

凛とした態度、遠くを見つめる目、飾らない様子でやさしい表情。一条帝と同じ永遠なものを、乙は定頼から感じた。

そのころの乙の歌には次のようなものがある。

かきくらしわが見ぬ秋の月影も
雲の上にはさやけかりけん

私は悲しみにくれていて、澄んでいる秋の月の光も見えません。しかし、私の愛しい方は雲の上からさやかな月の光を見ていることでしょう。

天上にいる人が歌っているような不思議な歌だ。歌を書き重ねていくうちに、乙の心のうちは澄んできた。このころの乙の歌は一段と冴《さ》えわたっている。

はやち吹く茂みの野らの草なれや
起《おき》ては乱るふせは片寄《かたよ》る

急に激しく吹き起こる風、はやちが吹いています。私は草深い野原の草なのでしょうか。立つと思い悩み、低くなると一方に寄ってしまいます。私は愛しい人を思い、気持ちを集中させようとするとすぐに思い乱れ、忘れると恨みの念にかられて偏屈《へんくつ》な自分になってしまいます。女の人の往生《おうじょう》が難しいと言われているのはそのせいでしょうか。

虫の声を聞いて歌った。

いかにして物思ふ人のすみかには
秋より外《ほか》の里を求めん

悲しみにうち沈む人の家では、秋よりほかの里を捜せましょうか。物思いに沈んでいて、季節はいつも寂しい秋のようです。悲しい物思いをしない人里を求めようもありません。

乙が定頼との関係を深くしたのはこのころからである。

しかし、ある時から定頼は乙のもとを訪れなくなった。何も理由を言わなかった。

注 歌人「相模《さがみ》」は小さいころ、「乙《おと》」と呼ばれました。乙は小さい、可愛いなどの意味です。後に相模の受領《ずりょう》となった大江公資《おおえのきんすけ》と共に相模の国に行き、東国《とうごく》相模の歌を多く詠んだことから「相模」と呼ばれるようになりました。主人公は成長し、これ以降、乙から相模へと呼び方を変えます。

Ⅱ

侘歌《わびうた》を求めて

一　僧、革聖《かわのひじり》と話す

相模《さがみ》は西の市を通る時、鹿の皮をまとった若い僧に出会った。革聖《かわのひじり》と呼ばれていた。相模はそばに寄り、僧に質問した。

「女の人は往生《おうじょう》できないと言われていますが、本当なのでしょうか」

「いいや、そんなことはない。誰でも往生できる」

「どのようにしたら往生できるのですか」

革聖は、じっと相模を眺めてから、

「いかなる時でも憐《あわ》れびの心を持つことだ。ところでお前はどのような者になりたいのか」

「法を大事にする人」

「それは感心だ。それで何をしたいのだ」

「目の前の執着を離れ、侘歌《わびうた》を作りたいのです」

「結構なことだ。それならば仏を拝み、南無阿弥陀仏《なむあみだぶつ》を唱《とな》えるとともに憐れびの心を育てることだ」

「私は西寺《さいじ》で木像を拝むことがあります」

「あれは普賢菩薩《ふげんぼさつ》だ」

「普賢菩薩とはどのようなことをなさる方ですか」

「慈悲《じひ》と理智《りち》で人々を救う賢者《けんじゃ》だ。女人《にょにん》が成仏《じょうぶつ》すると普賢菩薩になると言われる。お前もきっと菩薩になるに違いない」

相模と聖とのやりとりをそばの若者が聞いていた。自らを藤原顕信《ふじわらのあきのぶ》と名乗った。「お二人の話を聞かせてください」と言って二人のそばに来た。

相模は革聖に尋ねた。

「憐れびの心を育てるとはどのようなことですか」

「いや、何、簡単なこと。殺生《せっしょう》をしない。盗まない。姦淫《かんいん》をしない。育てる。与える。すべてを慈《いつく》しめばよいのだ」

僧はほほえみながら相模を諭《さと》した。その後、そばにいた顕信は僧に尋ねた。「一番早く浄土《じょうど》に向かうにはどのようにしたらよいのですか」

革聖は俄《にわか》に険しい顔になった。「お前は貴族の子弟《してい》だな。お前が浄土に行くのは難しい」

若者は尋ねた。「なぜですか。先ほど、この人には誰でも浄土に行けると言ったのに私は違うのですか」

革聖は厳しい声で言った。「お前が直《ただ》ちに出家する意思があるのなら法を話そう。しかし、そうでないのなら話すのが難しい」

すると若者は泣きそうな声で言った。「この女人は往生できるのに、なぜ私は往生できないのですか」

すると革聖は答えた。「この女人には後光《ごこう》が見えるからだ。誰も射すことない後光をこの京で初めて見たからだ」

相模はその声を聞いて、俄《にわか》に体を硬くした。「えっ、私に後光が射しているのですか」

革聖はほほえみながら言った。「私は殺生を恥じてこの京にやってきた。鹿を殺した罪だ。鹿を矢で射った時、鹿の腹から子供が生まれてきた。私は鹿の親を殺したのに、何とその腹から鹿の子が生まれてきた。私はその時のことを覚えている。親鹿の体から金色の精気が立ち昇っていた。私はこの若い女が尋ねている時、その時と同じ精気を感じたのだ。この女はやがて人を導く者となる。それは私とは違う場所だ。先ほど、女人でも往生できるでしょうかと問われた時、私の心の中に『女人成仏間違いなし《にょにんじょうぶつ》』という仏の声を確かに聞いた。もしお前が仏の道を尋ねたければ、この女のもとに行って話をよく聞くことを勧める。その上で私の所に訪ねて来い。私の名前は行円《ぎょうえん》、一条の寺にいる」。そう言うと、背筋を伸ばした若い僧は貴族の顕信の前から離れていった。

二　出会いと別れ

●大江公資《おおえのきんすけ》との新婚生活

相模の叔父、慶滋為政《よししげのためまさ》は一条帝亡き後も脩子内親王《しゅうしないしんのう》を支える役目を負っていた。為政は能因の文章生《もんじょうのしょう》時代の先輩だった。また能因と大江公資《おおえのきんすけ》は同族で親しくしていた。脩子内親王は隆家邸から三条宮に戻っていた。そこで為政が三条宮《さんじょうのみや》を訪れる時、学生を連れていくことがあった。その学生が能因と公資だった。

公資は歌を好み、相模とよく話をした。自宅が三条宮から近い所にあり、相模も能因に誘われて何回も訪問した。公資は質素な生活を送っていた。庭には桜の木があり、春には見事な花をつけた。

公資は相模を初めて見た瞬間に好ましく思った。相模はみるからに聡明《そうめい》な顔立ちをしていた。細面《ほそおもて》で秀《ひい》でた額、白く細い指、色白のほほ、公資には何もかもが貴重なものに思えた。相模の物腰《ものごし》が優雅で美しくみえた。

相模にはこの公資がよくわからなかった。多くの貴族のように少し浅薄な態度でふるまうようなところはなかった。相模に向ける素朴な感情は今までの男達と違ったものだった。相模は公資に「共に暮らそう」と誘われたが、どのように返事をしたらよいのか皆目《かいもく》わからなかった。多くの女房達は結婚に憧れていたので、自分もまたその一人だったのかと後から振り返って相模は思った。

結婚を承諾《しょうだく》した相模は三条宮を離れ、五条東洞院《とういん》にある公資の家に住むようになった。

公資は相模に生活の一部しか任せなかった。家計は公資が握っていた。家事は仕える女がした。相模はただ三条宮にいた時と同じように歌を作っていればよかった。結婚してからも相模は定頼を思う歌を作っていた。

人知れぬ思ひのみかは大空も
さみたれならぬさみたれぞ降《ふる》

誰も知らない定頼への思いは降り続くあの大空と同じようにしとしとと長雨が降り乱れています。しかし、公資と生活するうちに、相模は迷いながらも少しずつ公資を思う気持ちが育ってきた。それは相模が公資の純朴さに魅《ひ》かれたからだ。

当時の相模の心境を表す歌は残念ながら残っていない。相模の心の中には、一条帝から言われた「侘歌《わびうた》こそまことの恋歌」という言葉が住みついていた。相模は侘歌を作ろうとしていた。そこで相模は現実の喜びを歌にしなかった。

晩年になって、相模集に公資との生活をなつかしむ歌が見られるが、公資と生活し始めたころはその生活を歌にする心境になれなかった。ただ田を持つ男にかこつけての歌がある。ここでは公資の名前を出さず、いしたの方《かた》と表している。そしてその返歌も自作している。詞書《ことばがき》から紹介しよう。

軒のたま水かず知らぬまで。つれづれなるに。いみじきわざかな。いしたのかたにも。すべきわざのあるにと。おのが心々に賤《しづ》の男《お》のいふかひなきこゑ《え》にあつかふも。みみにとまりて。

雨によりいしし田のわせも刈ほさて
くたしはてたる比《ころ》の袖《そで》哉《かな》

軒の雨垂れが数しれないほど流れ落ちるのを数えるように所在なくしています。非常に打ち続く雨です。公資（石田の方）にはなすべき仕事があるので、心の中で身分の卑しい男に何を言っても無駄なことだと私が見下していたのがわかったのだと思います。退屈で自分の思いに沈んでいたあまり、公資のことを理解しないで話したところ、公資に怒られけなされてしまい、死にたい気持ちで涙にぬれている私なのです。

相模には驕《おご》った気持ちがあった。知識のない公資をあわれみ、快い気持ちになっていた。しかし心の底にどこか公資を思う気持ちがあった。

もみちはもこけのみとりにふりしけは
夕《ゆうべ》の雨そ空に涼しき

紅葉の葉も、こけの緑に落ちてくると、夕方の雨も涼しい心地がします。公資の態度や心づかいも自分が落ちついた気持ちになると、心地よく思えてきます。

今までは無骨《ぶこつ》で気に入らなかった公資が却って好ましく思えてきた。微妙に相模の心が移り変わっていくのがよみとれる。佗歌を求めきれない。理性を捨てられない。そう思っている勝気な相模が、公資を少しずつ好きになっていった。

しばらくすると公資への思いが増したのであろう。次のような歌がある。

風のさはきにおとずれたる人の久しくなりにければ

荒かりし風の後より絶えぬるは
くもてにすかく糸にやあるらん

一条帝が私の心を激しく動かしましたが、逢えない時が久しくなるとあの激情は去り、今はもう思い乱れることもなくなってしまいました。

相模と公資の新婚生活を表すエピソードがある。九月八日の夜、ささいなことで公資と口げんかをして相模は家をとびだしてしまった。次の日に迎えに来るかと思ったら二日後に訪ねてきた。相模はなぜ昨日訪ねてくれなかったのかと公資に聞いた。すると公資はただ一言、「昨日のことを言うな。明日のことを考えよ」とのみ言った。相模はこの公資を頼もしく思い始めた。

こゝぬかの菊をとはてや過くすへき
露の置きたるあしたなりけり

相模の新婚生活が幸福だったことは次の歌をみてもわかる。

初霜にうつろひ易《やす》き花なれは
きくにつけてはとはしとそ思《おもう》

私の心はうつろい易いので、けんかした時のことをどうしても聞きたいと思ってしまうのです。心が変わっては困るので、問い詰めまいと思います。

九月二十日ごろ、時雨《しぐれ》が風流と感じられるほどの夕暮れに、長年寄り添った妻と離別し、某所《よそ》に住まわせている女の人と一緒になったという男の話を聞いて、相模は心から淋しいと思った。その離別された女の人のことを思うと、秋の夜半、ふと目がさめて一層淋しさがつのってくるのだった。

なが月のはつかあまり時雨おかしきほどの夕ぐれに。ある所にさしおかせしとしころのきたの方を去りてはなれたまへりとききしかば

人しれす心からにやしくるらん
ふけゆく秋の夜半《よわ》のねさめに

どうして相模のことを知ったのかわからないが、しばらくたってその離別された女の人から手紙

がきた。「年月がたって心の中が通ったのでありましょう。思いもかけぬあなたからのうれしい歌でありました」とあった。

いかてきき給けんひさしくありて彼より

年へぬるしたの心やかよひけん
思ひもかけぬ人の水くき

相模はまだ結婚して間もなかったが離別された女には相模の歌の内容から、辛酸《しんさん》をなめ慈愛の心を持つに至った年長の女とうつったのだ。相模が他人への慈しみを見せたのは、このころ、この歌だけである。公資との生活が満ち足りていたことがうかがわれる。

相模は女への返事に謙虚な態度で、あなたは、いずれ私の浅い心に気がつくことでしょうと書いた。

もりにけんいはまかくれの水くきに
浅き心をくみやみる覧《らん》

このころの相模の歌は定頼から公資へと移りゆく思いが記されている。

初霜のをきふしそまつ菊の花
しめのほかにはいつか移ろふ

初霜が立つのを待っている菊の花でさえ、霜が降りなければ、神域の外に移ってしまいます。時に定頼のことを思い出しても、逢えなくなると私の心はいつか変わっていき、ただ侘歌を作りなさいという言葉しか思い出せません。

をきそめは霜枯《しもがれ》ぬへき色をみて
うつろひかたきしら菊の花

霜が降り始めたばかりのころは、霜枯れせずに色が変われないでいる菊の色のように、あなたの心も変わらないものと思っています。

このころ、定頼からは相模への変わらぬ愛を願う歌が残っている。

●東国《とうごく》での暮らし・一年目

公資《きんすけ》は相模国の守《かみ》に任命され、相模とともに地方に行くことになった。東国を知らないので、地方へ行くのは相模には気が進まない。住み慣れた京を離れるのは嫌だった。恵まれた境遇で育ったから、人の妻となって生活をしようとする決意がわかなかった。

せっかく来たのだから由緒ある所を見ようと、二人で箱根に行った。何でも願いつくそうと思い、心に思い浮かぶことを神に手向けようと小さな紙に書きつけて、百首の歌ができた。どれもぱっとしたできではない。けれども思ったことを書き留めておかないと、その時願ったことすら忘れてしまう。だから今の自分の気持ちを正直に表現して神社の土に埋めてみた。

その時の初春を歌った五首。

春山に霞たち出ていつしかと
時のしるしやありけんとみん

春くれはたにかくれなるうぐいすも
みやこにいて丶なかんとそ思《おもう》

思ふことひらくるかたを頼むには
伊豆のみ山の花を社《こそ》みめ

つみやらぬわが心哉《かな》このめより
おつる涙のしつくのみして

した氷りまた打ちとけぬつゝらをは
春の山への嵐にまかせん

相模は今まで三条宮で恵まれた生活をしていた。歌の素質を認められて、京で歌を磨きたいと思っていた。それなのに結婚後すぐに東国の相模に行かなければならない。結婚してから忙しい毎日では教養が身につきそうもない。いつかは都に帰って歌を作ろうという思いの歌を詠んでいる。そして京に帰って歌を作るには伊豆の守に頼むしかないと調子のよいことを書いた。公資のことを書かなかったのは、うしろめたかったのだろうか。歌を作りたいというのは罪なのか、と書いているが心の底から出た言葉ではない。公資とはいささか気持ちが通わないのだが、しかたがない。春の山に吹く風に任せようと書いている。そのような新婚生活だった。

春雨のふりぬることを思ふには
只つく〳〵と袖そそほつる

年おほくかへしきぬれとあれぬるは
我《わが》中山のふる田なりける

なへてきておほす計《ばか》りに小山田《おやまだ》の
なはしろ水は神そ結はん

若草をこめてしめたる春の野に
我れより外《ほか》のすみれつますな

春の野のきゝすなり共我はかり
かりにあやうき物は思はし

相模は公資の苦労を思いやることができなかった。ただ質素で田舎びた生活が続くことをうとましく思っていた。公資は使用人に言いつけて何度も田を耕したが、土地が貧しく作物は実らなかった。そのような生活で公資が悩む姿をみて、「この土地は何を植えても、すぐ枯れてしまう。並べた苗は生えるばかりなのだから、神に水を汲んでほしい」と言う。公資が他の女に声をかけようものなら「私以外の女に声をかける公資なんて嫌いよ」と歌う。公資の東国での苦労は並たいていではなかった。受領《ずりょう》としての仕事は厳しかった。相模がその苦労をわかるには若すぎた。公資のことを思いやる余裕はなく、自分の方に心を向けてほしいという気持ちでいっぱいだった。

「私は春の野の雉子《きじ》と同じです。しっかり抱きとめていないと飛んでいってしまいますよ」と挑発している。公資は奔放《ほんぽう》な妻を嘆き、天に向かっては、ため息をついていた。

相模は田舎びた東国と言ったが、東国の春はすばらしかった。桃の花は山を一面に染めていた。川のそばを通ると青柳《あおやぎ》の緑が目に染みた。京では見られない光景だった。川桜の花は古都を思わせるように咲き誇っていた。澤の蛙の声はにぎやかで、八重山吹が今を盛りと咲いていた。松にかかる藤の花は辺《あた》り全体を紫色に淡い色から濃い色へと彩っていた。相模はその光景を見て、東国もまんざら捨てたものではないと思い直した。

時にあひて惜むと思へは桃の花
みちとせ迄もたのまるゝ哉《かな》

青柳《あおやぎ》のいとうきふしの繁ければは
くるしき迄に思ひみたるゝ

雲かゝる川の櫻《さくら》はをしなへて
おもしろく社《こそ》なかにみえけれ

聲《こえ》たてゝ澤《さわ》の蛙《かわず》やすたくらん
八重山吹《やえやまぶき》の今さかりなる

むらさきのむらこの糸にみゆる哉《かな》
松にかゝれる池の藤波

五月になった。朝、庭に降りると垣根が真っ白になっている。まるで雪が降ったようである。卯《う》の花が咲いたからである。東国の初夏の景色に相模は驚いた。

雪かとてけさおとろけはうの花の
夏のかきねにさけるなりけり

昼近くなると、公資は田におりたち、使用人に稲を配っている。使用人は田植えをする。相模も仲間となって苗を植えた。相模の姿が田の水に映っている。空は青く、遠くに山々が見える。自分の白い衣のすそを見て、ふと考えた。今までこのような農民の生活をしたことがないので愉快な気持ちになってくる。

我せこかくはるひさなへおきながら
白きやたこの裳《も》裾《すそ》成覧《なるらん》

近くを散策すると、ほととぎすの声が聞こえてくる。京では歌によく詠んだものの、そばで聞くとずっとたくましく感じる声だ。空に羽音を響かせて飛び上がる姿を見て、御山に願いをかけて祈れば成就《じょうじゅ》するという言い伝えが理解できる。

郭公《ほととぎす》みやまにたかくいのる事
なるときこゆる聲《こえ》をきかはや

端午《たんご》の節句になるとじゃ香や沈香《じんこう》、せんだんなどの香料を玉にして錦の袋に入れる。菖蒲の造花を結び付けて、人の背より長い五色の糸を垂らす。大きな薬玉《くすだま》を作って柱に掛けるのがならわしだった。相模は薬玉を見ると京の雅がしのばれて、うれしくなった。自分も小さな薬玉を作り、たもとに入れた。たもとからせんだんのよい香りが漂ってくる。きっと喜ばしい世の中にあえることだろう。

くす玉を袂《たもと》にかくるさ月には
嬉《うれ》しきよにそあふちなるへき

相模は東国をよく散歩した。ある時、野辺に小さな道祖神《どうそじん》があるのに気づいた。東国の生活も落ちついたころのことである。京のことを思い出すことはあったが、不満も薄らいできた。ふと、道祖神を拝んでみる気持ちになった。かしわ手をポンと打ち、誰のことを祈ろうかと思うと自然に公資と定頼の顔が浮かんできた。神が二人を祝ってくれるようにと、相模は頭《こうべ》を垂《た》れた。

ふたかたに我うちかみを祈る哉《かな》
このてがしはのひらてたゝきて

このころ、公資は東国相模での仕事に忙しかったため、相模の方に向く暇がなかった。相模は東国を気に入ったものの、公資の帰ってくるのが遅く、帰ってきても疲れているのかあまり口をきかない。公資の姿を見ると、寂しい気持ちになった。

ひきなからうきの菖蒲《あやめ》と思哉《おもうかな》
かけたに宿のつまし分かねは

公資に連れられて来たけれど、私のことを浮洲《うきす》の菖蒲《あやめ》とでも思っているのかしら。私はつらい気持ちでいるのに気がつかない。軒に当たる月の光さえ左右にわかれ、まるで私達のようだわ。

相模には不安と不満の心が広がった。相模は公資の注意を引こうとした。化粧をしてみた。香料を体に塗ってみた。何とか振り向いてほしいと思った。

時鳥《ほととぎす》なくへきつまは我《わが》宿《やど》の
はなたち花の匂《におい》なりけり

しかし、公資は忙しくて相模に心を向けようとはしなかった。公資は東国での暮らしのために必死なのがそばにいて相模にはよくわかった。遊ぶ余裕などなかった。貧しい土地、厳しい気候、何もかも京とは違うのである。その中で夫は必死にがんばっている。このような生活は嫌だと思っていた。しかし公資は信頼のできる人だし、相模は我慢をしなくてはと考えた。

眞《ま》菰《こも》草《ぐさ》よとの渡りにかりにきて
野かひの駒《こま》をなつけてし哉《かな》

ちょっと野暮《やぼ》な公資は私を京から相模に連れてきた。文句を言っている私を結局は、うまく手なずけてしまった。

ある晩、公資は受領《ずりょう》達の会合があると出かけたきり、朝になっても戻らなかった。相模は公資の帰りを待っていたから、つい夜明かしをしてしまった。しかたがないので明け方に寝ると、ほととぎすの鳴くのが聞こえてきた。公資の外泊は女の許《もと》でないことを相模は信じていた。昼近くになって、疲れた顔の公資が馬を引いて帰ってきた。馬が病気で走らなかったのだ。

まちわひて今うちふせは時鳥《ほととぎす》
あかつきかたの空になくなり

相模は東国でも時々、一条帝と定頼のことを思い出した。「まことの侘歌を作ってください」「心のしんとする侘歌を作ってください」と励ましてくれた二人の言葉を思い出した。

涙たにもきえぬ思ひの身をつめは
澤《さわ》の螢《ほたる》もあらはれにけり

亡くなった一条帝と、別れた定頼のことを一心に思っていると、澤の蛍の小さな火があらわれてきて、しみじみと思われた。

夏の終わりになった。残暑が厳しかった。一日が長く感じられた。涼を求めようとしてもどこにも逃れられない暑さだった。我が身がわずらわしく感じられた。

なか〳〵と思い暮せと夏の日の
あつかはしきは我身《わがみ》なりけり

侘歌を書こうと思ってもうまくいかない。もっと格調の高い歌が書きたいのに、もともと才能なんてないのかと思う。相模は悩む心はくすぶる蚊遣火《かやりび》の煙と同じだと沈んだ気持ちになった。

したにのみくゆる我身《わがみ》は蚊遣火《かやりび》の
煙計《ばか》りをこと丶やはみる

あれほど暑かった夏も終わり、少しずつ涼しくなってきた。庭の垣根になでしこの花が咲き、目を楽しませていた。ところが垣根の結び目を伝わって落ちる露のせいか、なでしこが枯れてしまった。

我宿《わがやど》のませのゆひめもあたなれは
露にしほる丶常夏《とこなつ》の花

夏の終わりを感じさせるせみの声が、辺り一面にうるさいくらいである。木陰で休むとそこは珍しくせみの声が聞こえない。

涼しさを尋ねきつれは蟬《せみ》の声
きかぬこかけのありかたき哉《かな》

その夏の厳しさは格別だった。けれども、公資と相模の若さは病気を近づけなかった。何とか無事に夏をのりきりたいと思って、棒につけた大きな布に願をかけた。心中、千年をかけて祈るつもりなので少しは神の心も和《なご》むのではないかと思う。

おほぬさに千年《ちとせ》をかけていのる哉《かな》
神の心もなこしと思へは

暦の上では秋になった。しかしまだ暑かった。それでも山の木陰に入るとひんやりとする。やはり真夏とは違うと思った。

けふよりや秋のさかひに入りぬる
こくらかりつる夏の山陰《やまかげ》

七夕になった。ふと、相模は定頼の顔を思い出した。織姫星になぞらえて歌を詠んだ。しかし、不思議なことに東国に来て落ちついた生活を始めると、名残《なごり》尽《つ》きない別れと考えていたのに、今はその気持ちが消えてしまった。それを侘《わび》しいと思わない。それほど公資との生活は充実していた。

七夕に心をかしておもふにも
あかぬ別はあらせさらなん

まだ、河原にはすすきの穂が出ていない。しかし、夏の風景とは異なる。どこか物寂しいたたずまいで秋が近づいていることを感じた。

篠《しの》すゝきまた穂《ほ》に出てぬ秋なれと
なびくけしきのことにも有《ある》哉《かな》

七夕の星の光を眺めていると、定頼との逢瀬《おうせ》を思い出す。空に心が漂い出て、遠い昔のことを思い出すことだ。

ほしあひの影をなかめて天の川
空に心のうかひぬる哉《かな》

秋風が心地よく吹いてきた。あまり気持ちがよいので、手が疲れるほど使っていた扇の置き場所を忘れてしまうほどだ。

てもたゆくならす扇のをきところ
わするはかりに秋風そ吹《ふく》

秋も半ばになった。相模は佗歌を書こうと思っていたが、書く心境になれなかった。それもしかたがないという気持ちだった。しかし、鈴虫《すずむし》（今の松虫）の声を聞くと心に響くものがある。鈴虫は羽を激しく打ち鳴らしていた。ふと、相模は自分に欠けているものがあると悟った。

思ふことなりもやすると鈴虫《すずむし》の
声ふりたててなきぬへき哉《かな》

佗歌を作るには、鈴虫のようにあらぬ限りの力を振りしぼる心が必要と感じた。
相模は東国の紅葉を眺めていた。何度も時雨が降った。秋をつかさどる立田姫《たつたひめ》の働きだろうか。時雨《しぐれ》は紅葉を色鮮やかに染めていた。

いくしほの時雨《しぐれ》ふりてか立田姫《たつたひめ》
くれなゐ《い》のはを深くそむらん

晩稲《おくて》に白露がかかっている。そばを通るとひんやりするが、ぬれるほどではない。公資が必死に作った稲である。稲を守ることは私にはできないけれど、かかしと同じくらいの心持ちにはなる。

しら露のをくてはもらぬ我なれと
袖はそほつの心地こそすれ

三河《みかわ》と尾張《おわり》の国境に二村山《ふたむらやま》という山があった。紅葉の美しさは評判だった。その山を思うとき、相模はある感慨《かんがい》にとらわれた。侘歌の評判を取ろうと決意しすぎて空回りをしているのではないか。公資と地方にいて中央から認められないと思いすぎているのではないかと。秋が過ぎても美しさを見続けよう。そんな心境を歌に詠んでみた。

唐錦《からにしき》ふたむら山のもみちはを
たたてこそみめ秋はすくとも

冬の初めだった。寒くなってきたので早く衣がえの支度《したく》をしなくてはならない。それは相模の仕事である。地味な冬の色も疎《うと》ましく思わなくなった。

衣更《ころもがえ》けふはとくせむうらもなく
なるれとうとき色はうとまし

秋の突風は辺り一面に紅葉を散らした。まるで、もう冬だから残っていてはいけないと思っているかのように、潔くみな散ってしまった。

風の音に残りあらしと思ひしを
秋のかたみのもみちこそちれ

侘歌を書こうと心にかけてはいるものの、やはり書けない。十月は神無月《かんなづき》というが、本当なのだろうか。寂しい気持ちになり、心躍る心境ではない。筆も進まない。

人しれぬ心の中は神無月
しくるる袖もおとりやはする

初霜がところかまわず降りた。大事にしている菊の上にも降りた。あっという間に菊の花は色あせてしまった。

初霜は処《ところ》わかすやをきつらん
移ろひそむる菊のまかきに

寝室の屋根に霰《あられ》が降ったので、宝石を敷きつめたようになった。

冬の半ばとなり、公資との生活も長くなってきた。いろいろの苦労を身につけると自然に心構えができてくるのだろうか。我慢強《がまんづよ》くなった気がする。それはよいことなのだろう。公資を慕う気持ちで接しよう。本心ではないかもしれない。それだってよいことなのだと相模は思った。

閨《ねや》の上に霰《あられ》もふれは時のほとに
心にもあらぬ玉を社《こそ》しけ

冬の寝床は寒かった。そばに公資はいるものの寒くて目を覚ましてしまうほどだった。冬の河にいるおしどりは、やはり仲よく寝ているのだろうか。こんなに寒いのに仲よく抱き合っているのだろうか。

冬《ふゆ》河《かわ》のをしのうきねやいかならん
つねの床たにさゆる霜《しも》夜《よ》に

雪が降ってきた。東国の季節の移り変わりは激しい。花の咲いた様子がない。草花も枯れてしまった。青春を力強く歌った草木も、そうでないものも雪は一様に隠してしまう。

花さきし草ともみえすかれたるに
雪社《こそ》庭のおもかくしなれ

冬になり、京では新嘗祭《にいなめさい》の翌日に豊《とよ》の明かりの節会《せちえ》として、新穀《しんこく》を食し饗宴《きょうえん》を張るのが常だった。地方でも京にならい宴《うたげ》を行なった。少女達は日蔭《ひかげ》のかずらをかぶり、その笄《かんざし》の左右に白糸や青糸を垂らして祭りを祝った。少女達が光（日影）の名を持っているのなら、祭りの明かりを曇りなく照らすものであってほしい。

乙女子《おとめご》かかさす日影《ひかげ》のなにしおはは
曇らぬ豊《とよ》の明《あかり》ともかな

珍しく公資は一緒に外に出ようと声を掛けてくれた。しかし、相模には家事のいろいろな支度《したく》がある。

寒いので公資は炭火にあたっていた。しかし、その炭火もやがて消えてしまったから公資は火を吹いている。火はすぐにおきないので、寒い寒いと嘆いている。

あさけして出てつる妹《いも》を待つ程《ほど》は
歎《なげ》きこりつむをのの炭がま

冬の夜、一人で起きて火にあたっている。公資は帰って来ない。人恋しい。私は埋火《うずみび》ではない。人を恋する気持ちを持って生きている。なぜか落ちつかない。

埋火《うずみび》にあらぬ我みも冬の夜は
おきなから社《こそ》したにこかるれ

冬も終わりに近づいた。煙の上がる富士山を見ると、高嶺に降った雪は根雪として残り、なかなか消えない。

烟立《たつ》ふしの高根に降る雪は
思ひのほかにきえすそありける

あずまやの軒先を見るとつららが垂れさがっている。きらきらと輝いて、あたかも白金を軒先にかざしたように見える。相模は心が躍るのを感じた。

あつまやの軒のたるひをみ渡せは
只《ただ》しろかねをふける也《なり》けり

冬の夜、相模は独りで寝ている。公資と夫婦の営みもない。山鳥は谷を隔てて寝るという。私達もそれと同じだ。冬の夜はしんしんと更けていく。独り寝の寂しさが思わず口をついて出た。

冬のよをはねもかはさてあかす覧《らん》
遠山鳥《とおやまどり》そよそにかなしき

梅の枝にかかっていた雪がもうすぐ消えそうである。春が来る。待つということはこんなに穏やかで良い気持ちになれるのか。

梅が枝《え》にかかれる雪の消えさらは
春待程《はるまつほど》はのとけからまし

厳しい冬ももう終わる。春がすぐそばまで来ている。東国に来てこの一年、いろいろなことがあった。さまざまなことを考えているうちに年の終わりになってしまった。

思ふ事月日《つきひ》にそへてかそふれは
年のはてまてなりにける哉《かな》

相模は東国での一年を振り返って、心の成長したことを感じた。初めて東国に来た時とは違っていた。公資との生活も地に足がついてきた。それなりの喜びも感じた。あいかわらず侘歌ができないものの、今の気持ちを歌にしてみようと思った。

公資のすすめで東国に来た。これも何かの因縁《いんねん》なのだろう。聖徳太子が献上された黒い馬に乗って富士山の頂上まで駆け登った伝説がある。東国で波を見ると、あの富士山までかかるほどに雄々しく力強い。その波に導かれるのであれば、心を落ちつけてここに生きがいを見つけてみよう。

御山《みやま》迄《まで》かけくる浪《なみ》の導《みちび》かば
よにあるかひもひろはさらめや

相模は一年間の暮らしですっかり公資の妻としての自覚ができてきた。公資の仕事ぶりもそばで見てよく理解できた。

厳しい自然は豊かな恵みをもたらす。着いた早々はひどく殺伐《さつばつ》とした風景も今は懐かしく思われる。天地《あめつち》の神は求めさえすればどこにでもいると感じた。幸運を新年の祝いに作る袋に入れて帰りたいと詠《よ》んだ。

あめつちの神のひろめん幸《さいわい》を
袋にうけてかへりしかな

相模は近くの吾妻山《あづまやま》に登った。斜面に朝日が当たり、草花は光輝いていた。富士山が光って見えた。山々が遠くに見渡せた。肌に心地よい風が吹き過ぎる。相模の心は軽くなってくる。心がのびのびとしてくる。山の高くまで登り朝日に照らされると、落ちつくばかりでなく澄んだ気持ちになる。

み山への高き朝日にあたりなは
長閑《のどけ》くのみぞ曇らさるへき

相模は東国に来た時、幸福がそこにあるとは思えなかった。不満ばかりだった。今までの生活のように歌が自由に詠めない。結婚したばかりだというのに、公資は自分の方に関心を向けない。何もかも嫌だと思っていた。しかし、どうもそうではないらしい。自分にとって東国での暮らしは何物にも代え難《がた》い経験となった。公資を理解できるようになった。立派な男だ。精いっぱい仕事をしている。自然は豊かで京の優美さはないが、比較にならないたくましさを備えている。幸福を求めるには素直になって取り組まなくてはいけない。

み山なる富草《とみくさ》の花つみにとて
ゆるきの底をふり出てそこし

尊い山の上にあると思っていた幸福を手にするには、自らの心を鼓舞《こぶ》して飛び込んでいくにかぎる。ゆるき（ぬれるのを防ぐため着物の上にはおった衣服）のすそがぬれるのを怖がらないで足を踏み出して幸福を求めよう。相模の心は大きく広がった。京に帰ったら、この心境を皆に教えてあげよう。大江の家にも慶滋の家にも。私達の家は幸福を招く家だと言われるようにしたい。

うちかつき門を廣《ひろ》めて今年より
富のいりくる宿といはせよ

相模は公資の発展を願った。夫の進退を司るのは上司の伊豆の守である。世を永らえるのならば伊豆の方に向かって公資が栄えるよう拝もう。そう考えて歌を詠んだ。

呉《くれ》竹《たけ》のよになからふる物ならは
伊豆の方をそふし拜むへき

相模は東国時代、病気らしい病気をしなかった。わずかに夏の間風邪をひいて熱を出したことがあった。その時は、もうここで果ててしまうのかと心細くなった。京を離れて東国で死ぬのは嫌だというのが実感だった。

うき世そと思ひすつれと命社《いのちこそ》
さすかに惜《お》しき物にはありけれ

公資との生活が充実し自然に囲まれた東国での暮らしが気に入ると、命がはかないなどとは思えない。大自然の中で健康的に暮らしていると長寿を保つのも可能ではないかと思える。東国で得た相模の実感である。それが何よりの収穫だった。

命たになかすにあらはつの國《くに》の
なにはのことぞ嬉《うれ》しかるへき

本当は名高い場所にいなければ命を永らえないと思っていたのに、この東国で安心した境地になれたのを何につけてもうれしいと詠んでいる。（なかすは気にしないという意味）
両親のことが思い浮かんだ。一年も会っていない。親に会うためには健康でなければ会えない。

元気な姿で親の顔を見たいと思った。

都なるおやを恋しと思ふには
いきてのみ社《こそ》みまくほしけれ

たとえ人の命がはかなくても、群れている鶴のように私も公資とともに千年生き続けようと願いをこめた。

むれてゐ《い》る鶴におとらし芦《あし》のねの
短かかるへき命なりとも

心の落ちついた相模だったが子宝には恵まれなかった。結婚して年月がたっていたが子供ができなかった。若い女達の子供をあやす姿を何度も見た。胸がしめつけられるような気がする。他人もよく子供がいるのかと尋ねる。早く子供が欲しい。しかし、子供は授《さず》からない。衣裳《いしょう》に香りを焚《た》き染《し》めようと香をたく。香炉の上に伏籠《ふせご》をかぶせて、その上に衣をかけた。その香に託して歌った。早く子供が欲しい。早く子供の顔が見たい。独りでいるのは心細い。

たきもの、こをみんとのみ思ふ哉《かな》
ひとりある身の心細さに

皇后定子が第二皇女媄子《こうじょびし》を産んでまもなく亡くなったことが相模の頭に焼き付いて離れなかった。母親は生きて我が子を育ててこそ生きがいを感じるものだ。

たらちめの親の生《いき》たる時に社《こそ》
このこかひある物としらせめ

相模は定頼が好きだった。公資と生活していくうちにその思いが薄れてきた。人の気持ちが不変であるとは思っていなかった。変わらないと思っても、すぐに情熱がさめてしまうようだ。しかし、子供のことに関しては別である。子供が生まれたら夢中になって育てる。恋愛のように一時の気持ちではないと思う。相模は子供に対しては格別の思いを持っていた。

何事も心にあらぬ身なれとも
このたから社《こそ》まつはほしけれ

相模は男の子が欲しかった。夢にまで赤ん坊が現れる。赤ん坊には小さい男茎が付いていた。赤ん坊は光り輝いていた。ああ、あんなに可愛い子供なら、私は胸に抱き、やさしく撫でて育てるのにと詠んでいる。

光りあらん玉のをのこゝみてし哉《かな》
かきなてつゝも思《おぼ》したつへき

岩にも生える松の例もあるので、子宝の神よ、種を貸してください。

岩に生《おう》る松のためしもある物を
はらめのおもと種をかされよ

相模はまた侘歌を作ろうと考えた。自らの憂《うれ》いの気持ちを歌ってみようと思い立った。しかし、自分は何を憂えているのか定かでない。歌を作りたいが、自分の心に憂いがないのだから、歌を詠みたくても詠めない。

何れをかまつ憂《うれ》へまし心には
あたはぬことの多くもある哉《かな》

定頼に対する気持ちは末の松に例えて、慕う気持ちは永久に変わらないと思ったが、もうあてにできない心境になっていた。

いつとなく波のかゝれは末の松
かはらぬ色をえこそ頼まね

相模は何とかして侘歌を作りたいと思った。恐れ多いが言葉に出すのもよいと思い、憂えることをたくさん並べたてた。夫の帰宅が遅いこと、侘歌が作れないこと、食事がまずいこと、容姿が衰えてきたこと、子供ができないこと、京都のような優雅な生活ができないこと、夫の苦労が絶えないことなど。しかし、たくさん不満を並べたところで、本当のところは侘《わび》しいと思っていなかったので、侘歌を作れなかった。

かけまくもかしこけれ共《ども》思ひあまり
百千《もも ち》の事を憂《うれ》へつる哉《かな》

夫は信頼に値するので、憂いの対象ではない。定頼のことはもう思い出すのも難しい。誰を対象にして憂いの歌を作ればよいのだろう。真剣に憂うべき対象は何なのか。その証を神仏よ、教えてくれないか。

泣く〳〵も又誰にかは憂ふへき
猶《なお》ことはりの驗《ためし》あらせよ

侘歌を作ろうと思っても作れない。何だかそんな自分が嫌になってきた。ままよ、まずは作ってみようと思い立った。

数ならぬ我は我にそいとはる、
人とひとしきめをみてし哉《かな》

たいした才能がないと自分でも思う。自己嫌悪《じこけんお》に陥《おちい》った。それでもこんなに真剣に思っているのだから、よい歌だと人に言われるような快い思いをしてみたい。相模は侘歌に情熱を注ぎ「思」という歌を作った。「侘歌を作りたいと祈り、神にも仏にもすがっています。どちらにも頼んでいます。どなたでもかまいません。聞きとどけてください」と苦しいときの神頼みよろしく詠んだ。

佛《ほとけ》とも神ともたのむしるしには
ならへて思ふ事をかなへよ

侘歌を作ろうにも侘《わび》の対象がない相模だったから、自分の心に湧く思いが統一されない。

とにかくに思ひ乱れて思ふ哉《かな》
わくる思ひのひとつならぬに

何とまあ、乱れて精神の統一がとれないのだろう。まるで室《むろ》の八島《やしま》（下野《しもつけ》にあり）に立つ煙みたいだ。もともと統一されるべき憂いがないのだから、このように歌うほかない。

なそもかく思ひ絶《たえ》せぬ身なるらん
室《むろ》の八《や》島《しま》のこゝならぬ共《ども》

しかたなく、相模は侘《わび》を想像の中に求めた。どこに憂いがあるのかと探し求めている状態も、もしかしたら、なお侘《わび》しきというのではないかと考えた。

もえ焦《こが》れ身をきるはかりわひしきは
歎《なげ》きのなかの思《おもい》なりけり

佗歌を作りたいと念じてもできない。本当の佗《わび》しさは、そんな歌を作れないのを嘆いている今の気持ちの中にあるのではないか。こらえていると心の中が動き出して歌となって表れてくるのではないか。

忍ふれと心の中にうこかれて
猶《なお》ことのはにあらはれぬへし

そこで相模は心の中で自問してみた。心の中はいったいどうなっているのか相模にはわからない。何か今までの自分と違うものがあるにちがいない。「心よ、答えてくれ」という心境をつづってみた。

佗歌ができないのは、私の思いが心の中で私とは関係なく動いてしまうので、佗歌の言葉にならないのだ。私の心の中は佗歌を作りたいという気持ちとは逆なのだという拙《つたな》い歌を作った。どうも佗歌としては落第《らくだい》のような気がする。心を詠むのは難しすぎる。月の光を佗歌に詠むのはちょうどよい。試してみよう。

てにとらんと思ふ心はなけれ共《ども》
ほのみし月の影そこひしき

雲の間よりかすかに洩れる月の光を手に取ってみる気持ちはないが、あの光はどこか恋しい気持ちになる。どうも頭でばかり考えて作った歌は抽象的で、侘《わび》からは遠い気がする。相模はくじけない。月影がだめなら星を題材にして歌を詠んでみようと思った。

水もほしあまつ星をもやとしつつ
のとけからせよ谷川の底《そこ》

水を飲みほし、たくさんの星を水面《みなも》に宿す谷川よ、私に侘歌を作れるという充実感を与えてください。侘《わび》の心を味わわせてください。

これもどうも納得がいかない。それよりも、官位が低いと嘆いている公資のことを歌えば、もっと侘歌らしくなるのではないだろうか。

しつのおになひきなからも身にそしむ
位《くらい》の山の峯《みね》のまつ風

官位の低いことを嘆く公資を信頼してはいるものの、位が高くなったらさぞかし喜ばしいことだろうに。しかし、これが侘歌とはどうしても相模には思えない。どう考えても噴飯《ふんぱん》ものである。やれやれ、しかたがない。今の心境で詠むしかないと悟った。

あはれひのひろき誓《ちかい》を招くとて
いはぬことなくしらせつる哉《かな》

釈迦《しゃか》の入滅《にゅうめつ》した日に誓いを立てると、それがかなうと聞いたことがあります。けれども、結局私には何も頼むことなどないのです。
少々ふてくされ気味の歌を書いた。その後、相模はすぐに気分を変えて「夢」と題して侘歌に挑戦した。侘《わび》しい気持ちを夢に見ようと気負《きお》いたって詠んだ。

いかてとく夢の驗《ためし》をみてし哉《かな》
語り傳《つた》ふるためしにもせん

何とかして侘《わび》しい夢を見て、後世に残る侘歌を作ってやろう。ずいぶんと滑稽《こっけい》な思い立ちだが、相模は真剣だった。しかし、相模の心とはうらはらに、見る夢は楽しい夢ばかり続いた。憂いのない充実した生活をしているのだから当然である。

まとろめはさめぬる夢の世なれ共
嬉しき事をみるよしも哉《かな》

相模は少々ばからしくなってきた。どうも侘歌を作ろうと思っても、あらぬ方にばかり思いが行ってしまう。

浅からん夢の限りはしきたへの
床《とこ》のちりとも打拂《うちはら》はなん

夢にも侘《わび》は出てこない。浅い夢ばかり見る。しかたがないので床のちりでも掃除するしかないといった歌である。それでも相模はあきらめなかった。「夢を見るので、侘歌を作りたいという願いをかなえて、楽しい思いをさせてください。神様、侘歌を作ることが私の夢なのです。その願いを違えたらだめですよ」と歌っている。神も、さぞかし相模の言葉に苦笑しただろう。

ぬるたまの中にあはせしよき事を
夢々《ゆめゆめ》神よちかへさらなん

結局、神頼みしても、侘歌を作る心境にはなれなかった。さすがの相模もあきらめた。どうせ侘しい夢を見ることができないのなら、美男が夢の中に現れて、逢瀬《おうせ》を楽しむ夢でも見せてほしいと、勝手なことを言っている。

いつくしき君が面《おも》影《かげ》あらはれて
さたかにつくる夢を見せ南《なん》

この当時は相模の青春時代だった。侘歌への思いは断ち切れないながら、それを離れて手すさびの歌を作っていった。

定頼から手紙が来た。箱根の山は遠いと言ってきた。相模の家から箱根山がよく見えた。朝晩心に留めるうちに年月がたったと感慨を述べた。

明けくれの心にかけて箱根山
ふたとせみとせいてそたちぬる

伊豆に用があり向かった。東国に向かって歩いた時は足が進まなかった。今、伊豆に向かって道を歩くのは、心が踊るようだ。

東路にきてはくやしと思へ共《ども》
伊豆にむかふそ嬉しかりけり

伊豆の山路を歩いていると、かねてよりうわさの高い山道に来た。その坂が険しければ険しいほど京に帰ることが実感できる。うれしい気持ちを詠んでいる。

み山ちの音にきゝつるさかゆかば
願ひみちぬる心地《ここち》社《こそ》すれ

東国相模に来た時は、同じ国とは思えなかった。大和歌《やまとうた》を聞くことさえあるまいと思った。

日のもとやこのみかとには敷島《しきしま》や
倭《やまと》うたをはいとはさら南《なん》

相模は侘歌を作りたいと念じ、書いたものを川に流した。

浄《きよ》めつゝかき社《こそ》流れ水茎《みずくき》の
しるしもはやくあらはれよとて

どうしたことかこの書を伊豆山に住む僧侶が見つけて、箱根権現《はこねごんげん》の返事として手紙を持って来た。

身にきけるみそちあまりの玉章《たまづさ》を
かさゝれぬれは光をそ増《ます》

役に立つ和歌を掲げて返事をくださったので、霊験《れいげん》あらたかなる験《しるし》を与えてくれるでしょう、と歌を書いた。もっとも相模は箱根権現の返事など全く信用していなかった。

相模達は伊豆にたどり着いたが、結局その年は帰京することができなかった。伊豆の守小野五友《おののいつとも》は公資の任地相模の国情を聞いて、公資を留任するよう中央に願い出たからである。当時、地方で活躍した受領《ずりょう》達は中央に復帰することを願ったから、任期の短い受領が多かった。しかし、任国の収益が少なければ、都へ帰るのは難しかった。公資は仕事に熱心ではあったが、政治的手腕にうとかった。中央政府にとっては、いかなる方法であれ地方の収益を多く取ってくればよかったのである。相模の国は開墾《かいこん》が進まず気候も厳しかったから、公資の送る産物は少なく、中央は満足しなかった。

●東国での暮らし・二年目

相模は二年目の春の歌を詠んだ。最初に見た風景は春に包まれて新鮮な印象を受けた。今年もその時と変わらない。京に帰れなかったのは残念だが、公資のそばで暮らせるなら、それもまた楽しいと思った。そう考えて春の風景を眺めると、また違った感慨をもつ。

霞《かすみ》たちいてこし時のしるしには
千年《ちとせ》の春にあふとしらせむ

山の稜線《りょうせん》に桃色の桜の花が浮かび、周りに霞の立っている景色を眺めると、まるで千年の春にあうようです。

ある時、公資のもとに中央から公家《くげ》が視察に来ることとなった。公資は俄に緊張し、取り立てのため農民たちの間を駆けずり回った。相模はのんきに訪ねてくる役人を思うと腹が立った。

鶯《うぐいす》のなくねの空になかりせは
都の人をいかてみましや

ここは雑草の生え茂る東国相模なのに、公家はのんびりと鶯の声でも聞きに来るつもりなのかしら、どうやって皮肉ってやろうか。

公家が来て都の様子を話していった。その話では今は任国に行かずに在所のまま地方に受領《ずりょう》の仕事を任せ、取り立てのみ自分の役目とするのが流行していると教えてくれた。相模は公家からその話を聞くと不満に思った。公資は相模の国で必死に働いているのに、片方では中央にいてのうのうとしている受領達がいる。不公平ではないかと思った。

思ふことひらかんと思ふ物ならは
花の都のゆくすゑ《え》を思へ

早く公資の仕事ぶりを認め、中央に帰してほしいとの願いを歌にこめている。
しかし、東国の春は俗事《ぞくじ》を忘れるほどの力があった。春の野の若菜を摘んでいると木の芽から朝露が滴《したた》り落ちてくる。不思議と心も落ちついてくる。

このめよりおつる雫のつく〳〵と
静かに今は若なつません

春になって軒に下がっていたつららも解けてきた。暖かくなって氷が解けるのと同じように、京への憧れも薄れてきた。

下氷《したごおり》けぬくゝならはうちとけて
何のつらゝかいまはあるへき

春も半ばとなった。今年は日照りが続き、雨が少なかった。公資は毎日畑に行って作物の様子をみていた。相模も気がかりだった。公資の気持ちは農民の気持ちであり、相模の気持ちだ。公資と相模は雨が降るのを願う毎日だった。ある日、宿願《しゅくがん》の雨が降った。相模は思わず雨の中へ飛び出していった。それほどうれしい待望《たいぼう》の雨だった。雨にぬれながら喜んでいる相模の姿を見て、公資も笑っていた。

春雨のふりてつゝきてとひしかは
嬉《うれ》しき方に我そそほつる

「春雨がたくさん降ってきた。あまりのうれしさに私は雨の中でぬれている」と詠んでいる。公資の妻としての自覚は、ますます堅実《けんじつ》なものとなった。去年は公資が一人で働いていた。今年は自分で田を守り、大切に育ててみせると心に決めた。既に東国で一人前の女になっていた。

中山のふる田あらさす今年より
我《われ》守《まも》りつゝなてゝおほさん

相模の毎日は充実していた。夫は忙しい仕事の合い間をぬって、自ら田に立ち種をまいた。相模はただ黙って見ているだけではない。水を汲み種に水を与えた。

小山田《おやまだ》に種をまきつる物ならは
なは代《しろ》水は我にまかせよ

公資は思い悩んでいた。中央からもっと産物を送るようにと、矢のような催促である。農民の暮らしは厳しい。これ以上の取り立てはかえって農民達の反発を買う。どうしたらよいのだろうか。聡明な相模には夫の悩みがよくわかった。何とか励ましてやりたいと思って歌を詠んだ。

なにか思ふなにをか歎《なげ》く春の、に
君より外《ほか》に菫《すみれ》つませし

何を思い悩んでいるの公資、何を嘆いているの。私はあなたのことを真剣に思っている。公資より他に東国をうまく治める人はいないのよ。あなたはもっと自信を持っていいはずなのに。

相模は毎日、公資の働く姿を見て公資をますます好もしいと思うようになった。農民達の中に自ら入り、汗にまみれて指図する姿は都の人にはないたくましさがある。去年の春、「私は雉子《きじ》だからしっかり抱き止めていないと飛んで行ってしまう」と言って、公資を苦しめたことが恥ずかしい。

都よりた丶假初《かりそめ》にきたる身は
雉子《きぎす》のたとひひかすもあら南《なん》

晩春となった。公資との生活は順調だった。難しいながらも仕事に自信がついたのか、公資は相模の話を聞くようになった。相模の助言も大事に受け入れているようだった。相模は心に思ったことを全部言おうとするのだが、公資の笑顔を見ると、もうささいなことを話さなくてもよいと、素直な気持ちになってくる。

いひかけしも丶ことなから桃の花
みなひらけぬる人を見哉《みるかな》

相模が住む家の庭には、みごとな桜の木があった。訪れる人がことごとく褒めた。「桜は都に限る」と思っていた昔がうそのようである。

我宿《わがやど》の雲井《くもい》にさける櫻花《さくらばな》
みる人ことにあかすとそいふ

相模の家のそばには小川が流れ、青柳《あおやぎ》が芽を吹くころは見事な光景となる。新緑に包まれて、人は快い気分に浸った。公資の友人もやって来ては青柳の美しさをすばらしいと言って褒めた。

青柳《あおやぎ》のいと珍しき人みれは

又やくるとそあひまたれける

「大変珍しい人が来たので、また来年も見にいらっしゃい。待っています」と詠んでいる。

相模の家から少し離れた所に、澄んだ水がたまる澤があった。五月にはかじかが鳴く。山吹《やまぶき》の花が辺りを濃い黄色に染めていた。あまりにもみごとな景色だった。

澤《さわ》水《みず》に蛙《かわず》なくらん山ふきの

花のさかりはつきせさらなん

近くには、緑の小さな松の木がある。松の上を薄紫の藤の花が咲き覆っている。まるで、ところどころに濃い色をつけ、薄い色が混じって染め出した斑濃（むらご）のようである。

緑なる松にかかれる藤なれは

むらこの糸とみゆるなるへし

相模の生活は落ちついていた。去年は山辺にほととぎすの鳴く声を聞いては自分の方へ向いてほしいと歌った。今年はほととぎす同士が仲良く語らっているような鳴き声も聞こえ、余裕が生まれてきた。

みやまへにこたかくなけは時鳥《ほととぎす》
今そかたらふ聲《こえ》もきこゆる

今年も去年と同じように五月雨《さみだれ》の中、田植えをした。相模は公資の働くもとに強飯《こわめし》を握って屯食《とんじき》など届けた。近くには小さな社《やしろ》があった。公資は汗を拭《ぬぐ》って一服《いっぷく》する。相模は生活感のある歌を詠むようになった。

五月雨《さみだれ》のなへひきうへていもかこし
社《やしろ》のもとに又もみえ南《なん》

社《やしろ》で、昨年は公資と定頼の二人を思って柏手《かしわで》を打ったのに、今年はそんな気になれない。こうして社を訪ねれば他人だって私が公資のことを祈っていると思うにちがいない。

てかしはにひらてをさしてこし人の
祈りいて、し人は見覧《みるらん》

五月の節句には受領《ずりょう》の公資の家に多くの人が集まり、酒食がふるまわれた。女中も少ないので相模はてんてこまいだった。公資はのんびり客と話をしている。今年も豊作を祈らなければとか、神への願いごとを語っている。そんなことより少しは私のために、たすきをかけて手伝ってみよと、相模は公資に語りかけるように歌を詠んでいる。

皐月《さつき》まつ人はかりには我宿《わがやど》の
ゆふたすきしてかけてみよ君《きみ》

●公資の心変わり

夏のころだった。公資の様子が変わった。帰宅する時間が遅くなった。相模には理由がわからなかった。充実していた生活に少しずつ暗い影がさし始めた。公資の気持ちが自分に向いていないのを感じ始めていた。だが、まだその思いは漠然《ばくぜん》としたものだった。毎日忙しく働く公資の姿を見ると、相模はその思いを杞憂《きゆう》にすぎないと打ち消した。あの人は私の方を向く余裕がないのだ、きっとそうにちがいないと自分に言いきかせた。

心さしふかき入江のあやめ草
軒《のき》のつま丶てひきかけてみよ

思いやりがあって寛大な公資よ、私の心はあなたの方に向いているのだから、どうかあなたも私に心を向けてください。

しかし、公資の心は相模から離れていった。帰宅しても相模と話すことさえなくなった。声をかけると、疲れているのか、いらいらした返事が戻ってくる。相模に釈然《しゃくぜん》としない思いが残った。本当に疲れているのならば、その理由を言うだろう。公資は理由を言わない。相模の振る舞いに反抗する。香をたき込めた衣でそばに寄ると露骨に不快な表情をみせる。この人が同じ公資なのかと心の中に疑いの思いがわいてくる。相模は次第にいらだたしくなる。

時鳥《ほととぎす》なくねそらなる物ならは
はなたち花のかをとかめなん

本当に私への思いがあるのなら、ささいなことで怒ったりはしないはずなのに。相模は公資の気持ちがわからなかった。公資の一時の迷いで、何かのきっかけがあれば自分の方に気持ちが向いてくると思ったりした。

眞《ま》菰《こも》草《ぐさ》まことに人のかりつめは
野《の》飼《がい》の駒もなつくとをしれ

公資よ、たとえどんなにいらいらして冷たい態度をとったとしても、底に必死な思いがあれば私はすねたり怒ったりしないであなたに従っていくものですよ。

相模は公資の気持ちを自分に向けようと、必死の努力をして、かいがいしく働いた。できる限り冷静に、公資に接しようとした。たとえ、どんなに冷淡な態度であってもそれをとがめるような姿は見せまいと思った。しかし、公資の気持ちはいっこうに変わらなかった。

うの花のうらみさらなん時鳥《ほととぎす》
人にくからぬよにしすまはは

公資に好かれているとは思えない。けれどあわれびの心を持ち、人をいとしく思う世に住んでいるのなら、思うにまかせないことはいくらでもある。ほととぎすの良い声が聞こえなくとも恨むまい。

相模がどんなに悩み、公資のために尽くしても公資の態度はますますよそよそしくなっていくように思われた。相模が我慢《がまん》したり気を引こうとして悩んでも、すべてがむだなように思えてきた。

しかし、相模はこの一年で自分は変わり、もとの自分には戻ることがないという気持ちがあった。自分の今の心境を誰かに話して解消したいと思った。

川辺には蛍《ほたる》が飛んでいる。相模はもの思いに耽《ふけ》りながら、必死に歌を詠《よ》んだ。

世《よの》中《なか》をてらすはかりにおもひなす
なにか螢《ほたる》を哀《あわれ》とはみし

川辺を飛ぶ蛍を見て、恋に燃えると言われる蛍を哀れとはみないつもりです。蛍は世の中を照らす光だと思いたいのです。

相模は歌を詠みながら、悲しみと憤りで爆発しそうな気持ちを必死で耐えた。夏の暑さは厳しかった。公資は相模がそばにいても一言も口をきかなくなった。相模はじっと耐えていた。我慢の限界まで耐えてみよう。不満らしいことは一切言うまいと考えた。

夏の日のあつかはしさは思へとも
心にいれていふにつく哉《かな》

夏の暑い日、公資と会話らしい会話もない。不満は心にしまい込んで素直に話をしようとした。

昨年は美しいなでしこの花を見ることができた。今年はまがきをしっかり結んで露さえも流れてこない。花も枯れている。

常夏《とこなつ》の花おひ繁《しげ》るませかきも
ゆひかためては露《つゆ》ももらさし

相模は心を静めるため山に登った。近づいてくる秋を告げるように蝉の声はどこに行っても聞こえた。木陰で休んだ。思わず「涼しい」という言葉が漏れた。そんな言葉さえ家では言えなくなっていることに気づいた。

なく蟬《せみ》のなかかぬ木蔭《こかげ》はなけれとも
み山かくれは涼しかりけり

相模はこのころ公資に他の女性がいることを気づき始めた。帰宅しない晩が続いた。公資は理由を言わなかった。女の人のいることを否定しなかった。あんなに公資のことを思っていた気持ちがいっぺんに消えた。かやり火の煙を見ながらその時の気持ちを詠んだ。

下にのみくゆる思ひはかやり火の
烟をよそに思はさらなん

かやりの火の煙を見ていると、夫がよその女性と心を通わせているという思いが自然とわいてくる。相模はやりきれない気持ちだった。

神社では毎年夏越《なご》しの御祓《おはら》いと称して茅萱《ちがや》で輪を作り、人をくぐらせて身を清め、健康を願う行事が行なわれていた。御手洗川《みたらしがわ》に行って祓えの行事を行なったりした。相模には素朴な方法に思われて参加したことがなかった。しかし、今はその御祓いをする人を見ると、頼もしい気持ちになった。

　みたらしになこしのはらへする人を
　みるに我さへ頼もしき哉《かな》

秋になった。相模は公資との生活に失望を感じていた。なぜか悲しみを表面に出して騒ぎ立てることができなかった。公資との生活を経てから、相模はもう昔のように単純に自分の感情を表すことができなくなっていた。相模の理性は素直な感情の表現を押さえつけていた。押さえつければ押さえつけるほど相模の心の中は醒《さ》めていった。秋風が吹き抜けるように心の中は涼しいことだと感じ入った。

いつしかと秋の初風《はつかぜ》ふきぬれは
心の中はす丶しかりける

七夕《たなばた》のころ、定頼との別れに涙を流したものだった。今、空を眺めてもその思いをもうわからなくなった。公資は他の女と愛を交わしているにちがいない。嘆いてみてもしかたがない。七夕の別れは他人事とみることにしよう。

なかことを歎《なげ》くなるらん七夕《たなばた》の
わかれはよその物と社《こそ》みめ

公資はほとんど帰宅しなくなった。相模は激情に浸れれば、どんなに楽だろうと思った。昔のように涙は流れなかった。寂しいと歌に詠むことすら虚しかった。空を眺めると星の輝きが心に沁みてくる。天の川が白く光り、相模は七夕の空が心に浮かぶほど夢中になって空を見つめていた。

星《ほし》合《あい》の空に心のうかふまて
あまの河へをなかめつるかな

肩に当たる風は秋の風のようだ。つらい思いは努めて心の中で打ち消した。つらくなると、自然に扇をあおいだ。秋風が吹いても来年の夏、また扇を使うのだろう。ふと、何かにとらわれている自分を遠くから感じることがあった。悲しんでいる自分の姿を客観的に見つめることができるようになった。

いまはとて扇《おうぎ》の風をわするなよ
又こん年の夏もこそあれ

悲しみの中での心遊びだった。去年は公資との充実した生活の中で秋の景色を見て、それを楽しむことができた。その経験を経て、相模は一人前の妻としての自覚が生まれた。貧乏でも文句を言わない日々だった。生活のやりくりもうまくやっていく自信ができた。公資を思いやる気持ちからである。なにもかも、公資を中心に考えていた。それなのに公資は私を必要としない。どのように理解すればよいのか相模にはわからなかった。今は悩みを外に表したらよいのだろうか。

我をのみ頼むと聞けはしのすゝき
今は穂に出て歎《なげ》くへき哉《かな》

秋も半ばとなった。相模は暇さえあれば外に出て歩いた。自然の中にいると心が落ちついた。宮《みや》木野《ぎの》という所に来ると鹿の鳴く声が聞こえた。萩《はぎ》の花につく露は人に裏切られた鹿の涙を思わせたが、悲しくてもしおれることはない。相模はその声がなぜか心に響いてきた。

宮木野《みやぎの》のこはきか原になく鹿の
涙の露にしほれしもせし

相模は感情の流れに身を任せなかった。身を任せたとたんに自分を失ってしまうと感じた。そばで鈴虫の鳴く声が聞こえた。

疑ふな千世《ちよ》の秋まて鈴虫の
よにふるしるしありとしらせん

鈴虫（松虫）の声の中にも、神が宿っているかもしれない。必死に羽を振り動かす鈴虫の声は、人を疑わないで生きていくことを教えている。願いは千年の秋まで続くと伝えよう。

相模は思い直して、小萩《こはぎ》が原《はら》を離れた。相模の思いは日ごとに深いものになり、自分の存在を問うものに変わっていった。嘆き悲しんでいる自分は、これからどうして生きていったらよいのかと考え始めた。

朝顔の花にやとれる露の身は
のどけく物をおもふへきかは

朝顔の露ははかないものです。その露のような自分は、はかなさの中におぼれてよいのでしょうか。それとも広大な自然の流れの中に身を任せるべきでしょうか。いつか自分は落ちついて人の世を思えるのでしょうか。

相模の国に一人いて、相模はしばしば望郷の念にかられた。生まれ育った京都へ帰りたいと思った。一人で帰るのには遠すぎた。遠くに雁《かり》の飛ぶ姿が見えた。雁になって京に飛んで行くことができたらよいと思った。雁の鳴く秋の夜は、あたり一面露でしっとりとしているのだろうか。

雲《くも》井《い》までふるさとこふる秋の夜は
雁《かり》の涙や露けかるらん

公資は久しぶりに帰って来た。そして、家には戻らないと相模にはっきり告げた。公資は相手の女に夢中になっていることを相模に伝えた。相模は驚かなかった。公資の前で嘆くことさえしなかった。公資は荷物を持ってあわただしく出ていった。曇りのない空に月が出ていた。今、目の前の出来事を嘆くのは浅はかだと相模は思った。

曇りなき月の光をなけくには
思ひくまなき物にそありける

はっきりと公資の気持ちを知りました。しかし、その態度が明快なものだとしても、あなたの思いやりのない心を強く感じてしまいます。
秋も終わりのころである。時々、公資のことを考えた。たとえそばにいなくても、まだ捨てられたとは思えなかった。いずれ戻って来るように思われた。ふと、菊に残る露を見て歌が浮かんだ。

年をへてかけをならへてみる人も
老せぬ物《もの》はきくのしら露《つゆ》

きっと公資は年をとって私のもとに帰ってくるでしょう。その時に二人の青春の熱い思いは消えていて、ただ菊に残る露だけが変わらないことでしょう。
相模の一人暮らしは続いた。吹く風が寒くなってきた。冬支度《ふゆじたく》の衣を打つ砧《きぬた》の槌音《つちおと》ほど多くの夜が過ぎていった。

風寒《さむ》み妹《いも》かころもてうつつちの
数《かず》しらぬよも過きぬへき哉《かな》

公資のいない畑は荒れ果てていた。畑に作物は実っていない。自分の住む家は人けがなくてひっそりしている。畑に立つと私は田のかかしのようで、まるで生気がない。着物の袖が涙で濡れるほど悲しい。安らかな暮らしを望むのだが、まあしかたがない。それも人の世の習いなのだろう。

衣手《ころもで》は山田のそほつと思共《おもえども》
おとろきもなきよにのみそへん

相模は不幸を嘆く代わりに、自分の心を平穏に保つことに集中した。家の周りの鮮やかな紅葉を見る時、これが自分に与えられた修行《しゅぎょう》の場だと感じた。誰一人、助けてくれる者はいない。自分の力で生きていくしか術《すべ》はない。自分に残されているものは何もない。

しら露の年をかさねて奥山の
紅葉《もみじ》の色はふかくそありける

しら露に当たり、長い風雪に耐えて奥山の紅葉は赤くなっていく。自分の人生を紅葉になぞらえていた。しばらくたって紅葉が散った。相模はそのはかなさに思い入った。それは人間の力では成し得ないものと感じた。無力感が襲ってきた。

あかゝりし紅葉《もみじ》の色も散りぬれは
秋の別れも悲しかりけり

冬になり、公資は冬用の衣を取りに帰って来た。公資は自分で冬物の荷造りをすると、すぐに出て行った。相模はそれを黙って眺めていた。怒ることも、嘆くこともない。そばでじっと様子を見ていた。公資の後ろ姿を見送ると相模は心の内の苦《にが》い気持ちを詠んだ。

ここにきて衣《ころも》をかへて行人《いくひと》は
千代の禊《みそぎ》にあひぬとをしれ

我が家に帰って来て、衣替えをしていった公資よ、あなたは二人の生活で千代にわたってみそぎに合い、身が清められていることを知りなさい。

夜になった。静かな晩である。月の光が明るい。一人で立っていると突然激しい感情が襲ってきた。公資に捨てられたということがわかった。もう自分の方に心が向くことはない。風が嵐のようになりを上げた。怒りと悲しみがこみあげてきた。相模の形相《ぎょうそう》が変わった。はだしで駆け出し、小川の中に飛び込んでいった。風の音が激しくなった。相模の口から嗚咽《おえつ》が洩《も》れた。心の底で誰か別の人間が一人泣いていた。何か硬い物が突然折れたような音がした。相模はつぶやいた。

「だめなんだってさ、もうだめなんだってさ……」

涙がほほを伝わった。相模は悲痛な面持《おもも》ちで歌を詠んだ。

千早振《ちはやぶる》いかきのもとの常盤木《ときわぎ》も

嵐のかせはいとはさりけり

自分は神聖な場所に巡らす垣《かき》のもとの常緑樹のように固い気持ちで日々を送っています。しかし、突然のこの激情の嵐をいとわないのです。

相模は通り過ぎた自分の生涯を考えていた。橘則長《たちばなののりなが》と同棲《どうせい》したころのこと、一条帝に憧れ、歌を作るのに明け暮れていた少女時代、一条帝が亡くなって自殺を企てたこと、定頼との恋愛、公資との東国での生活、そして、今公資に捨てられた境遇《きょうぐう》を考えた。相模はいかなる所にいても自分が成長していくと信じていた。定頼との別れの時、何かが自分の心に宿ったように思えた。公資との東国での生活では堅実な妻としての心構《こころがま》えができた。相模にとっては何ものにも代え難い財産だと思った。しかし、公資に捨てられたと知った今、それが何だというのだろう。公資は認めてくれなかった。東国の地で知る人もなく、やがて朽ち果てていくのではないか。何も残りはしなかったのではないか。いったい今まで大事にしてきたものは何だったのだろう。

色々にうつろふ時の折《おり》にしも
こきかせみたるたまそ乱る、

法華経の教えのように袖の中に私の魂を入れたのに、さまざまに移りゆく自分の境涯《きょうがい》の中で風が葉をこき散らすように、私の魂は乱れています。秘かに大事にしていたものが乱れ、自分の魂すらも乱れていってしまいます。

時は十月だった。神も出雲《いずも》の国に集まって会議を開くので、神が不在になる時期だという。相模は考えた。このまま嘆いているのはあまりにもみじめすぎる。何のために東国へ来たのだろう。すべてむだだったとは思いたくない。苦労はきっと報《むく》われる。そう思おうとした。ふと、心の中に西《さい》寺《じ》で見た普賢菩薩《ふげんぼさつ》の姿が浮かんだ。ほほえんでいる気がした。

神無月《かんなづき》しくるる空を歎《なげ》くなよ
ふるにかひあるよともしらせん

空を見て嘆くまい。雨が降り、神のいないつらい世の中であっても、またよいことが巡ってくるものさ。

相模の住んでいる家は粗末《そまつ》なあばら屋であった。公資がいなくなってから、屋根も破れたままだった。ある晩、部屋の中に霰《あられ》が入ってきた。霰は大きく、手に取ると白く輝いていた。外に出た。家の周囲に霰が降り積もり、その白い輝きが夕やみの中で不思議な光を帯び、相模の住居はまるで天に浮かぶ寝殿《しんでん》に思えた。相模は楽しい気分で歌を詠んだ。

我宿《わがやど》も霰《あられ》ふりしく時はみな
玉のうてなになりかへるめり

真冬となった。寒いせいか、なかなか寝つかれなかった。寝返りをうった。公資のことを思い、寒いだろうと心配した。女の人と一緒にいても、あの人は寒がりだったから、やはり寒いと言っているだろうと考えていると、はっとして我に返り、思わず笑いがこみあげてきた。

めもあはてふしかぬる夜は冬川の
をしの浮寝《うきね》に驚かれつゝ

雪が一面に降り積もった。美しい光景である。相模は去年とは異なって、落ちついた気持ちで雪を眺めた。

ときはなる山の木陰《こかげ》にすむ人は
ゆき社《こそ》花とみえわたりけれ

私の気持ちは落ちついていて、心だけは常緑のようです。降る雪さえも花に見えてくるのです。相模は澄んだ心が尊いと思えた。

時々、遠い大原の方から女が炭を売りにやってきた。女と仲よくなって話をすることがあった。元遊女で男に捨てられたのだという。炭を売って生計をたてている。その話を聞くと、相模は自分の身の上話などできなくなってしまう。

大原や炭やきゝたるいもをして
をのゝ山なる嘆《なげ》きこらせし

炭をおこして火を見つめていると、独《ひと》り身《み》が侘《わび》しく思えてくる。誰か友達が欲しい。灰の中の炭火でもない我が身は、明るく楽しい京の生活をしてみたいと思った。望郷の念にかられた。

埋火《うずみび》も君にもあらぬあま舟も
冬はうきよにこかれてそゆく

冬も終わりのころとなった。相模の独り暮らしは続いた。落ちついたつもりでも公資への慕情が湧いてくる。もう捨てられたのだ。公資と自分はもう他人なのだと思っても、どこか断《た》ち難《がた》い思いがあった。富士山を見上げた。雪が降る中に立ちのぼる煙が見えた。その熱で消えないものは頂の雪なのだ。

年をへて煙たてともふしの山
きえせぬものは雪としらなん

公資との別離の生活が始まって、もう公資とのことを忘れたつもりでいた。しかし、公資の態度が冷たいとしてもなお追慕《ついぼ》の情を禁じ得なかった。

●公資、戻る

冬のある日、公資が相模のもとに帰ってきた。尾羽《おは》打ち枯らした姿だった。女に逃げられたのだと言った。相模は心の中で喝采《かっさい》を唱えた。今までの苦労が報《むく》われた気がした。相模は公資に不平を述べなかった。公資はそんな相模の姿を見て落ちついたようである。相模は公資に抱かれると涙がほほを伝わった。

風さむみはねうちかはし今よりは
遠山鳥《とおやまどり》のひとりねさせし

公資よ、これからはどうか私を一人にしないでほしいという歌だ。遠山鳥のような別離はもう嫌《いや》だというせつない気持ちがこめられていた。公資は自らを恥じて、相模を喜ばせようと屋根の修《しゅう》繕《ぜん》をした。霰《あられ》の降った日には玉の御殿《ごてん》と思っていた相模だった。今度はしろがねの御殿になったと言って無邪気《むじゃき》に喜んだ。そんな相模の姿を見て、公資は心からいとおしく思った。

しろかねにふきかへた覧《らん》東《あずま》やの
軒《のき》のたるひをゆきみてし哉《かな》

公資が戻って来て相模は生活に張りが出てきた。梅の枝に雪が積もっているのを見ながら、春がもうすぐ訪れることを思って、楽しい気持ちになった。

春をまつほとはやとなる梅かえに
降《ふり》積《つむ》雪《ゆき》をなかめてそおる

相模はまた自信を取り戻した。その時には無駄だと思われることも、いつか自分の中に貴重な経験となって積み重なっていくものと感じた。

いたつらにすくす月日《つきひ》は年をへて
我身《わがみ》につもる物としら南《なん》

暮れになって、この一年間のことを思った。思い悩んだ一年だった。しかし、それほど悪い一年でもなかったような気がする。鳴門のうずの中から、恨みから離れた充実したものを拾ったような気持ちがした。生きている甲斐があったと知らせたいものだ。

思ふこと鳴門《なると》の浦に拾《ひろ》ひつゝ
かひありけりと知らせてし哉《かな》

しばらくすると、相模は今までつらかったぶんだけ、余計に喜びを感じた。幸福をかみしめていた。

さひはひを朝日にそへて今よりは
都のかたにやらんとそ思《おもう》

幸いを輝く朝日に添えて、都の方に分けてあげたいと思う。幸福の絶頂であった。庭には草花が芽吹いてきた。相模はその草を摘みながら幸福の扉を自分で切り開いていると実感できた。

我宿《わがやど》のとみ草の花つませては
さかへを開く身とそなるへき

相模は自分の心に問いかけてみた。今まで私は神に頼んで幸福を求めようとはしなかった。自分で心の平静を求め、心の修練を積もうとした。神代に頼む人は、みな頼んでもどうにもならないものを欲しいとせがんでいる。私は公資が戻って来てほしいと神に願ったわけではない。それを誇りに思っている。

すへらきや神代《かみよ》頼まん人はみな
やらん方なきとみを社《こそ》せめ

神様、私はどうにもならないことを頼みません。世の多くの人のように現世の利益を求めたりはしません。心の平安を祈っているのです。

相模はこのころから悩みから離れた一つの境地に到達したようだ。歌に自信と夜明けのような広がりがうかがえる。

今年よりかとを開きて富をまて
八十氏人《やそうじびと》のあともつかせん

今年より、心の門を開いて心の平安の富を待つことです。一門の人にその幸いが訪れてくるはずです。

相模はその心境を皆に伝えたかった。

相模は時々侘歌《わびうた》のことを考えた。まことの侘歌を作りたいと、心の底で念じた。ふと、自分は何のために生きているのだろうかと考えたりした。公資は帰ってきた。幸福を感じるときはあるものの、心の底から満たされている気がしない。この幸福もいつか消えていくものと思った。それにしがみつくことはできない気がした。自分はあの永遠なものを作るために生きていると、考えるときがあった。皇后定子や一条帝が思い出された。清少納言が思い出された。定頼を思い浮かべた。侘歌への励ましの言葉を思い浮かべた。自分のいきがいはまことの侘歌を作ることだと思い返した。それこそが生きていく願いと考えた。

呉竹《くれたけ》のこちくの聲《こえ》を聞きしより
よに永らへんふしはそへてき

公資《きんすけ》がそばにいても、時々むなしく感じる瞬間があった。公資の愛情を信じられないわけではない。生活に不満があるとも思えない。これといった原因はなかったが、相模の心は沈むことが多かった。庭に降りて松にかかる露を見て歌を詠んだ。永遠の命を松に託して、その葉にかかる露もある。

あちきなくなにかうきよを歎《なげ》く覧《らん》
松にかゝれる露《つゆ》も社《こそ》あれ

世のなりわいをどうして味気なく思うのだろうか。永遠の思いを持っていてもさまざまなでき事に思い悩むのが自然な姿なのだから。
相模は歌を詠みながら、西寺で見た普賢菩薩《ふげんぼさつ》を思い出した。

ある時、相模は箱根《はこね》権現《ごんげん》に行った。権現の前で人だかりがしている。なにげなくのぞくと見覚えのある姿があった。能因《のういん》である。能因は群衆を前にして歌を詠じていた。相模は懐かしい気持ちになってそばに行った。

たひらかにあらまくほしき物ならは
都の方をなかむ計《ばか》りそ

心を落ちつけて暮らしたいと思い、京の方ばかりを見て過ごしております。能因は相模が独りでいるのだと思った。何か思い詰めている様子に見える。

心あらぬ人に見せばや津の国の
難波《なにわ》あたりの春のけしきを
（後拾遺和歌集）

相模のような心ある人に、有名な摂津《せっつ》の国の春の景色を見せたいことです。それは見事です。もしよかったら、一緒に来ませんか。

相模は能因のやさしさがうれしかった。いつも相手のことを思いやって歌っていた。相模は正直な気持ちで歌を詠んだ。

つの國《くに》の難波《なにわ》の事も思はすて
なかすに遊ふたつのよをしれ

あなたのことを思わないで、東国の田舎《いなか》で夫とともに生活をしてきました。今はそれほどの不満もなく暮らしているのです。

公資と相模のことを中洲に遊ぶ鶴と言って、巧みに表した。そして東国の地をも兼ねて表現している。

能因は相模の言おうとしていることがわかった。その気持ちを歌に詠んだ。

よもなかく汀《みぎわ》に茂る芦《あし》のねは
群《む》れゐ《い》るたつになにかおと覧《らん》

水際に茂る芦の根のように独り寝の旅は夜が長く感じられます。だからといって、東国でのお二人の生活に劣るものではないのです。もっとも、お二人のように夜踊りだすことはないのですが。

巧みなユーモアで相模に返歌した。

相模は日焼けした能因の顔を眺めた。たくましさがあふれている男の顔である。相模が微笑すると能因も笑いかけてきた。相模はじっとその笑い顔を見つめた後、能因と別れた。


相模には子供ができなかった。結婚して長い年月がたっていた。夫さえいれば子供はできると思った。相模は赤ん坊を見る度に自分で育ててみたいと考えた。赤ん坊を抱いている女を見るとじっと立ち止まるのが癖だった。

ふと、京の都にいれば男の人がたくさん通って来て子供も早く生まれるのではないかと思った。誰の子でもよいから子供が欲しいと考えた。一人の妻としてあれば、子宝は授かりやすいとわかってほしい、と詠んだ。

獨《ひとり》のみある物《もの》ならはたきもの、
こはえ安《やす》しと思《おも》ひしらなん

相模は子供が欲しかった。月のものを見るたびに落胆《らくたん》し、子供ができないことを嘆いていた。けれどきっと子供が得られるに違いないと思った。

このかひはありぬへらなり浦《うら》毎《ごと》に
よせくる波の数知らぬ迄《まで》

何度も期待していたのに、数知れないほど子供ができない兆候《ちょうこう》を知ってがっかりしたことです。なでしこの花を見ては、子供が欲しいと思ったものです。

ひかりあらは祈りし事もかなひぬと
いはせてし哉《かな》撫子《なでしこ》の花

神仏の光があれば、何でもかなうと聞いたことがあります。どうか、なでしこの花よ、私に願いをかなえておくれ。

時々、小さな子供を見ると相模はたまらなくなってくるのだった。どんな方法でもよいから、子供を授けてほしい。

何かそのわきて頼まん今よりは
この寶《たから》をはえつと知らなん

どうしてよいかわからないほど、子供が欲しいと思っているのです。小さな木の実を植えると子供が授かるというのなら、それをやってみましょう。子供を得るのによいと思われることなら、何でも試してみるつもりです。

相模は種を植えた晩、夢を見た。可愛い赤ん坊が相模のそばで遊んでいる。抱き締めたくなるほど可愛かった。柔らかい肌、可愛らしい二本の手と足。相模は赤ん坊が生まれたのだと錯覚した。「あれは、私の赤ん坊！」うれしくて叫びたい気がした。胸が高鳴って、目が覚めてしまった。夢だと気がつくまでにしばらく時間がかかった。あれは神のお告げではないかと考えた。きっと正夢《まさゆめ》にちがいない。うれしい気持ちになって歌を詠んだ。子宝を授ける神は子種を授けてくれたに違いない。

中々《なかなか》にかしてし種《たね》はうたかはす
今はふたはになりぬ覧《らん》かし

神は本当に赤ん坊を授けてくださるだろうか。夢を信じよう。相模は毎日、木の実を植えた場所に水を与えた。

何《いず》れをもなにか恨むる今よりは
この寶《たから》をはえつと知らなん

今まで子供が生まれないと神や東国の地を恨んだことでした。これからきっと子供に恵まれると信じていきます。

しかし、木の実は二葉《ふたば》の芽が出たきりで、しばらくすると枯れてしまった。相模の落胆は大きかった。

公資は迷信まがいのことに心を奪われるなと相模に忠告する。相模の心はかたくなになった。

何《いず》れをもなにかうれふる今よりは
あたはぬ事もあらしとそ思《おもう》

どのようなことでさえ、平穏でいられないのです。ちょっとした迷信を信じて外れたのです。きっと叶えられないことはないと思うのです。自分の心は嵐のように荒れ狂ってしまうのです。

ふさぎこんでいる相模を見て公資はいたわってくれた。公資はたとえ子供がいなくても、お互いの生活がしっかりしていればそれでよいではないかと言った。相模はその言葉に涙がとまらなかった。公資は相模のことを気遣《きづか》って一心に話をしてくれた。公資の言葉を聞くとなおさら、子供が欲しくなってくるのだった。男の子を欲しいと強く願っていた。

なく〳〵もうれへし君《きみ》かことはりを
さまざまに皆かなへてし哉《かな》

相模は子供を産むための健康法を課した。子供を持つ母親の顔色は生気があふれている。できるかぎり、顔色をよくしようと紅色の食物をとった。子供が生まれないのは神への信仰心が足りないせいだと思った。近くの神社に願《がん》をかけに行った。

波のこす松は色社《こそ》まさりけり
あさくたのむな思ひそめてき

相模の願いが通じたのか、相模の体に妊娠《にんしん》の兆候が現れた。おなかが少し大きくなってきた。相模の喜びようは並たいていではない。

いと嬉《うれ》しよに厭《いと》はれし今よりは
いや増《まさ》りなる身とをしらせん

うれしい、うれしい。太るのは嫌われることだけど、みごもって太るのはうれしくてたまらない。公資も非常に喜んでいた。ともに手を取り合って喜び、神社へお礼に参った。

さしなからみなことはりは音にきく
た、すの神と諸心《もろごころ》して

まったく、霊験《れいげん》あらたかに効果を表す神様であることよ。今、公資と二人で心を一つにして、無事に子供が生まれることを願うのです。

結局、相模は子供を得られなかった。妊娠したと知ってしばらくたった後、相模は突然苦しみ出した。夜中にお腹を押さえて唸《うな》っている。夜明けまで苦しげな声をあげていた。激しい痛みが走るとともに、下半身から何かが流れ出ていくのを感じた。

流産のショックはしばらく消えなかった。相模は悲しくてならなかった。夢の中で見たあの赤ん坊が、自分の手に入ろうとした瞬間、手許《てもと》からするりと抜け出ていってしまった。子供が生まれたら、誰よりも可愛がるつもりでいた。子供のことを考えると、心が浮き立つような毎日だった。今までのつらいでき事も、みな遠くへ行ってしまうように思えた。いったいどうしたことだろう。神仏への祈りが通じなかったのだろうか。私に何か悪い原因があったのだろうか。悲しみの途中に、時々自分を遠くから眺めることができた。公資に捨てられた時に覚えた術《すべ》だった。悲しさの中で平静さを保つための悲しい術だったのかもしれない。心の中で悲しんでいる姿を遠くから見つめて詠んだ。

限りなく思ひこかるゝ身なれとも
哀《あわれ》とみれはさめもしぬ覧《らん》

自分は限りなく子供が欲しいと祈っているけれども、その自分が哀れに見える時、その思いも醒めてくることとです。

●普賢菩薩《ふげんぼさつ》を観《み》る

相模は静かに瞑想《めいそう》しながら考えていた。どうしたことだろう。自分は一心に神仏に祈った。その祈りに疑いはないつもりだ。神仏に心の底から願えば、かなうと思っていた。それなのにいったいどうしたことだろう。相模はその疑問を歌に詠んだ。

なにことかかなはさるへき眞心《まごころ》に
神佛《かみほとけ》にもかけていのらは

目をつむり、じっと相模は自分の思いを集中させた。心の中に西寺で見た普賢菩薩《ふげんぼさつ》が現れた。相模を見てほほえむと、衣の袖をゆっくり動かし、相模に風を送るしぐさをした。相模にはそのしぐさが、自分を応援しているのだと感じられた。そして、ゆっくりと振り向き去っていった。相模はじっと眺めていた。相模は救われたと思った。

ともかくも思ひみたるなひた道《みち》に
我をたのまん人の心は

何があっても乱れることはやめよう。ただひたすら自分の心を集中させて心の奥底の永遠のものに身を任そう。

相模は不思議な気持ちがした。いつでも待つ身だった。その待っている悩みの中で、いつも永遠なものに憧れていた。それが得られないのを知って悩んだりした。しかし、八十島の松が千年の樹齢を保つように年齢を重ねながら、今あらゆることをすべて思いわずらうことなく客観的に見つめることができる。そのような自分を誰も知らないだろう。

やそしまの松の千年《ちとせ》を数へつゝ
思ふことなき身とはしらすや

相模は今、自分の求めるものがわかりかけてきた。心の中に浮かんでくる普賢《ふげん》に会うことができた。普賢に会えるという喜びが湧いてきた。自分の心を集中させて、会いたいと思うと会える。何とか、もっと多く会ってみたいと考えた。

いにしへは歎《なげ》きこりつゝすきにけり
今は何かは思ひこかるゝ

昔は嘆きを積み重ねていました。そして長い年月がたちました。現在は、心の中の普賢に会うことが憧れになっています。

相模は普賢に出会ってから変化が起きた。背筋を伸ばし、いつもほほえみを絶やさなかった。何事にもとらわれることがなくなった。公資《きんすけ》も相模の変わった様子をみると不思議な気持ちになった。

いはねとも頼みをかけはなにことか
心の中《うち》にかなはさるへき

人には言わないけれども、心の中に願うことは何でもかなう。相模が願ったのは人の心が平安なことだった。相模自身の悲しみと、悲しみ嘆く人の心を救いたいと思った。

なぜそう思ったのか相模にもよくわからない。普賢のほほえみを見た時から、自然と心の中にわいてくるのだった。相模が不幸を嘆いている人に話しかけると、不思議にみな相模の願いに応じた反応を示してくれた。相模の話を聞いて涙を流し、落ちついた表情になった。相模は心の中が澄んでくるのを感じた。もっと心が澄んでくればよいと願った。

みそらゆく月の影をも身にそへて
心の中《うち》にさやけからせん

空の月の光を私の心と一緒にして、もっと澄んだものにしてください。心の中で人の心の平安を願うと、ますます心が澄んでくるのを感じた。その感慨を歌に詠んでいる。

にこりなく心の中に水すまは
のとけきほしのかけもみえ南《なん》

集中すると心が澄んで、小さな星の光さえ見えてくるのです。

相模はたびたび普賢に会うことができた。普賢の袖が動くように見える度に、新たな念が湧いてきた。亡くなった人達を思った。私が慈《いつく》しむ心さえあれば、あの世に行っても忘れることがなく、会うことができるでしょう。きっと夢の中で見た人に会うことができるでしょう。

あはれひに又あはれひをそへたらは
此世《このよ》彼世《かのよ》に思ひ忘れし

相模は普賢に会えることが夢のように思えた。いつか、突然会えなくなるのではないかと心配だった。その不安を話すと、普賢は、そのようなことはないと答えたように思えた。いつも心に浮かぶのだが、話をしたのかどうか確信が持てなかった。相模は何度も何度も、夢ではないのですねと念を押す。いつも、夢ではないと返事がきた。

夢ならはことかたさまに誓ひつゝ、
語りあはせんしるしあらせん

私は心の平安が皆に訪れるように願いました。普賢菩薩も励ましてくれました。望みのかなう夢ならば、その効果がきっと現れてくるでしょう。

●心の平安

相模が人の心の平安を願うと、不思議なことが次々と起こった。公資《きんすけ》は今まで以上に相模のそばに来て、よく話をするようになった。農民達が公資の言うことを聞かないと嘆くと、相模は適切に助言することができた。年貢の量を中央が望む量の僅かだけ減らせば話がまとまるだろうと言うと、果たして中央も農民も納得してそのとおりになった。公資はますます相模を頼りにした。自分でもその不思議さに驚いて、歌を作った。

嬉《うれ》しさは身にあまるまてみちぬ覧《らん》
夢《ゆめ》心《ごこ》地《ち》にも思ひあはせよ

あまり不思議な力があるので、うれしくてたまりません。私はまるで夢見心地なのです。その夢にあわれびの思いを合わせてください。

しかし、必ずしもよい夢ばかりではなかった。夢の中にたくさんの裸の亡者《もうじゃ》達が暗い荒野にいて、体を地にすりつけて泣きわめいていた。衣は乱れ、髪は逆立《さかだ》ち、みな他人をののしり泣きわめいている。身の毛のよだつ光景だった。相模は目を覚ました。

あしき事夢にあはせし敷妙《しきたえ》の
ちりゐ《い》る床をはらふはかりそ

悪い夢を見てしまったので、どうしてよいのかわからず、寝床に敷く布のちりを払うことしかできません。

相模は、こうした悪夢を見るのは自分に何か汚《けが》れがあるせいなのかと思った。そのような夢を見ないようにしたいと念じて詠んだ。

よき事にあらぬ事をは夢はかり
みせしとのみも急《いそ》かるゝ哉《かな》

しばらくすると、普賢菩薩《ふげんぼさつ》の姿を心にはっきりと見ることができた。日の光のように常に相模のそばにいるようだった。悪夢を見た後に、何か悪いことがあるのかと尋ねても、違うというように袖を振って、ただほほえむばかりだった。

今は只身《ただみ》をも離れぬ影《かげ》なれは
夢ならすともみえさらめやは

●伊豆へ

東国での暮らしも三年目になった。その年の初め、公資と相模は伊豆《いず》の守《かみ》から、伊豆へ来るようにと言われた。二人は京に帰る知らせと思った。二人は喜び勇んで箱根の坂を登った。楽しい旅だった。京に帰れると思うと、思わず二人の心は軽くなった。箱根より見える遠い海の波すら心地よく響いてくるのだった。

ふと、相模はなぜ普賢が帰京の知らせを教えてくれなかったのだろうかと思った。教えなくてもよいと思ったのだろうか。あまりに急いだので途中で道標《みちしるべ》がなくなってしまった。二人はどちらに行ってよいかわからなくなった。すると、突然目の前に小さな野ぎつねが飛び出してきた。二十歩ほど追いかけたが、姿が見えなくなった。よく見ると、そこに小さな道標があった。二人は不思議なことだと思った。

箱根山あけくれ急きこし道の

しるしはかりはありとしら南《なん》

●女房として単身京へ

伊豆の守のもとに来た。意外な結果が待っていた。相模だけ内親王のもとに戻れとのことだった。女房としての地位が約束されていた。相模は嘆いた。公資と一緒に帰りたかった。相模には、一人で京で暮らすことが考えられなかった。公資《きんすけ》と一緒にいるからこそ、楽しかった。なぜ、私を一人にするのだろう。

何事か悔《くや》しかるへき伊豆にきて
身の榮《さか》ゆへき影をみつれは

相模は信じていた神仏さえも疑う気持ちになっていた。どうしたらよいのだろう、もう公資と逢えないかもしれない。迷っているうちに供《とも》の用意ができた。京へ向かう供を伊豆の守はつけた。男二人、女二人、馬一頭の旅だった。

坂の下から、公資の手を振る姿が見えた。顔を涙でうずめて別れを惜しんでいた。公資にもう二度と逢えないように思えた。馬から降りて走り出そうと思った。すると、どこからか声が聞こえた。普賢の声だった。

「別れはこの世のためしだと知れ」

公資との別れもこの世の試練《しれん》だという意味だった。相模はそんな試練なんてもうたくさんだと思った。公資と暮らせるならば、何もいらないと思った。身を馬上から躍《おど》らせようと足に力をこめた。その刹那《せつな》、相模の目の前に大きな普賢《ふげん》の姿が現れた。相模にしか見えないのか、他の三人は黙って歩いている。普賢はやさしくほほえみながら、衣の袖を静かに動かした。相模はふと、心が変わった。これは私の修行なのだろう。握っていた手綱《たづな》を強く握りしめた。

あしひきの山より高き坂ゆけと
君そこの世のためしとはみる

公資からすぐに手紙が届いた。相模のことを深く思っていること、心から頼りにしているとの内容だった。

水茎《みずくき》のあとかきたてしあとみれは
深くも我を頼みつる哉《かな》

富士山を仰《あお》ぎ見る山道だった。雪が積もっていた。道中は難渋《なんじゅう》した。つらい旅なので供の者達は不平を洩《も》らした。相模は馬上で普賢と会話していた。普賢は京での新しい生活も相模の魂の成長となるべき試練《しれん》なのだと、何度も話した。その言葉を聞くと、京に向かうのに不安がなくなった。

日のもとの山となる迄《まで》積《つも》るとも
ことのは見れは誰かいとはん

公資から、また手紙が届いた。伊豆の守から遠江《とおとうみ》の受領《ずりょう》に任ぜられたと。しかし、相模と一緒に暮らせないので、明け暮れだけで寂しいかぎりと伝えてきた。公資の歌が記されていた。

玉くしけふたみなからそ任せつる
明暮《あけくれ》たけの末のよまてに

二見《ふたみ》の道の向かう遠江《とおとうみ》の国を任されても、相模がいないので死ぬまで味気《あじけ》ない生活だと自棄《やけ》を起こしている。相模は公資が気になった。

京に近くなって、とある宿に泊まった。夜、その宿が火事になり、相模達はやっとのことで焼かれずにすんだ。すると「お前達はまたこのような災難に遭《あ》うだろう。もし逃れようと思うならば、歌を書いた草紙を仏に奉じるとよい」と言う人がいたので、不思議な気がした。山の上の寺に草紙を奉じた。しかし、普賢の言葉に比べると、何だかうそのように思われて、相模は二度とそのようなことをしなかった。

やっとの思いで相模は京に着いた。普賢の言う通り朝日の射す京の都は、まるで木綿で作った幣《ぬさ》によって霊験《れいげん》が示されたように美しく見えた。

玉章《たまずさ》にみかきそめたる光をは
ゆふしてかけししるしとそ思《おもう》

相模は京の都を眺めながら、普賢に向かってつぶやいた。新たな気持ちで京の生活を送ってみようと。

うちはへて我くりかへすたく縄《なわ》を
うみもひか南《なん》よその蜑《あま》人

海人《あまびと》が腰につけるたく縄が延び、それを何度もたぐり寄せて試練に挑むのであれば、たとえ私がよそ者であっても海も引くことでしょう。
相模の京での生活が始まった。脩子内親王は相模を待っていて、手厚くもてなした。相模の歌の確かさが周囲の人達に知られていた。相模は新鮮な気持ちで正月を迎えた。

行末《ゆくすえ》の遥かなるへきしるしには
まつとしかへる空に霞《かす》めよ

真の心の平安を得たいと願っているが、それを得る道のりはまだ遠いのだろう。しかし、新年にあたってこの空に向かって祈りたい。

近くの神社に詣《もう》でた。うぐいすの声がする。そうだ。自分はあのうぐいすの鳴き声と一緒なのだ。あの鳴き声のように人の心に平安を与えることができればよい。たとえ初春に咲く花の祈りが届かないとしても。

はつ花のいのりならねはよそへつゝ
身をうくいすのねこそなかるれ

相模はつらい京へ向かう旅を思い出した。京での生活は想像もつかなかった。自分を大事にしてくれる人間がいるとは思っていなかった。遠い東国《とうごく》で朽《く》ち果《は》てるとばかり思っていた。その運命の変転を顧《かえり》みて詠んだ。

埋《うも》れ木《ぎ》のなかには春もしられねは
花のみやこへ急かるゝ哉《かな》

都から遠い所で世の中から忘れられていると、春の訪れもわかりません。自分は京での楽しい生活など思いもよらずに急いでやって来ました。
しかし、遠江《とおとうみ》にいると聞く公資のことが気になる。いかに、この世が相模に与えられた試練だとしても、心の通いあった公資と別れて暮らすことは苦痛だった。だんだん暖かくなってくる。陽光を浴びながら相模は公資のことを思った。

春の日のさしてつらしとなけれども
猶《なお》とけはてぬ薄氷《うすごおり》かな

相模はもの思いにふけると、一人春日野《かすがの》へ若菜《わかな》を摘みに出かけた。春日野は、どこか東国の地を思い出させる。相模の心を和ませてくれた春日野は恋をささやく場所だったので、他の女房達から盛んに皮肉を言われた。その時の様子をおかしく思い、詠んでみた。

春日野《かすがの》の野守《のもり》もなそやと思ふかな
年つむ若《わか》なかたみなければ

春日野にいる番人もどうしたことかと不安がるだろう。本当は年をとっているのに、若い格好をした女が竹籠《たけかご》がないのに菜を摘みに来るとは。
二月になった。脩子内親王の付き人として春日祭を見に行くことになった。相模は心の中で普賢と話をすることが多かった。春日祭に行くのだと言うと、よく神の話を聞いてきなさいと教えてくれた。

相模の心の中に、神も仏も区別する心はなかった。春日神社の神と話がしてみたいと思った。おりしも、春雨《はるさめ》が降り続く日だった。

ふりはへてゆきし心は春雨《はるさめ》の
あしよりさきにいそかれし哉《かな》

春雨が降っています。その春雨の雨あしよりもはやく、私は神に会いたいと願っていることです。

行く途中、小さな村でその年の穀物の豊作を願う祭りが行なわれていた。牛車からみると、男の裸身を模した山ほこがあった。その素朴さに思わず苦笑して歌を詠んだ。

すき心ひとにつくれはあらをたの
打《うち》頼《たの》むへきなかやまほこは

荒れた畑なのにいったい、あの山ほこに何を頼むのでしょうか。相模は楽しい気持ちになっていた。

村を通るごとに、さまざまなとしごい祭りが行なわれていた。地方にはそれぞれの神がいるようだった。相模は牛車の中で普賢に問いかけた。皆、神に苗代水を任せておいて都合よく水を引いてほしいと願っているのではないのですかと。相模の問いに普賢は笑って袖を振るばかりだった。

苗代《なわしろ》のみなみなかみにまかせてき
思はん方にかつも引けとて

さらに尋ねた。苗代を作ることをみな神に任せているけれど、神頼《かみだの》みだけしているのではありませんか。心から民を心配している神の気持ちを知らず、うかれ騒いでいるのではないのですか。奈良に向かう途中、焼野《やけの》の光景に出合った。相模はなぜ焼野にするのかを知らなかったから、小さな草花も一緒に焼いてしまうのがひどいことのように思われた。また、ひっきりなしに菫《すみれ》の花を摘む人があると噂に聞いて心外に思った。小さな草花は幸せをもたらすものと思っていたからだ。

もえまさる焼《やけ》の、野への壺菫《つぼすみれ》
つむ人たえすありと社《こそ》きけ

ある時、相模は脩子内親王達と、鷹狩りのお供をした。鷹は小さな鳥や獣をたくさん捕らえてきた。相模はそれを見ると寂しい気持ちになった。その捕らわれの鳥獣達は、あたかも自在になりたいと願いながら思うに任せない自分のことのように思われたからだ。

假《かり》のよを現《うつつ》とみるもはしたかの
とりあつめてそ物《もの》は悲しき

この世は仮の世で、正気を失っている間に過ぎていくものだとしても、やはり、あの捕らわれの身の鳥獣達を見ると心が痛みます。
三月になった。桃の花がいっせいに開き、それはみごとな景観だった。相模の心は弾《はず》んでいた。

桃の花もゝちの願ひひらけなは
みなゝりはつる心地《ここち》社《こそ》せめ

桃の花が咲き、神へのたくさんの願いごとが一度にかなうような気持ちのする楽しい光景です。
内親王邸にいると、他の女房達の悪口が耳に入ってきた。公資からの便りがないことから、相模は捨てられたのだとうわさする者がいた。歌が上手だという評判だけど、本当かしら、というわさも聞こえる。相模はすべて無視していたので、近寄り難い人間だと評されていた。

色ふかく心にしれる山櫻《やまざくら》
さかすとたれかよそにいふらん

私は心の奥に思いを秘めて生きております。私の思いなどかなうことはないという人もいますが、私は気にしていません。
しかし、どうしたことか公資からは便りが来なかった。相模は心に残る手紙を書けば、公資からの便りはきっと来るにちがいないと思っていた。たとえたまにしか来ないとしても、心は通うものと信じたかった。

くることも心になひくたよりあらは
柳の糸もたえしとそ思《おもう》

相模は公資のことを思いださないようになった。そばにいないから思いのたけを話すことができない。身の回りの世話をしてあげられない。そんな気持ちで山吹《やまぶき》の花を眺めていた。公資がそばにいれば、公資の冠に山吹の花かんざしを飾ってあげるのに。その気持ちを歌にした。

尽《つ》きせすはのとかにゐ《い》ての里《さと》乍《なが》ら
かさしにおらん山吹《やまぶき》の花

●京での恋愛

このころ、相模に思いを寄せる若い男がいた。相模は公資《きんすけ》がいるからと言って相手にしなかったが、悪い気持ちはしなかった。

藤の糸をなみやよりきておりつらん
紫地《むらさきじ》なる錦《にしき》かゝれり

藤色の糸を波が寄るように織ったのでしょうか。紫地の絹織物が松にかかっているようです。藤原経衡《ふじわらのつねひら》という若い男が来て、「相模を好《す》いている。一緒に暮らしたい」と言っており、ちょっとよい気持ちになっている。相模は若い男の求愛を拒む力がなかった。公資からの便りが疎遠だったこともある。つらい東国の生活から解放されたこともあった。若い男と関係しながらも心の底で罪を感じていた。罪の意識は相模を苦しめた。

しめの中《うち》にちる卯《う》の花《はな》は咲《さき》かゝる
神のゆふにそあやまたる覽《らん》

境内に散るうの花は、神の言葉を知りながらあやまちを犯す私の如きものなのです。

相模は自分を恥じた。東国のつらい生活の中で普賢に会うことができた。そして、心の平安を得たと思った。しかし今、また若い男とうたかたの恋に身を任せ、執着のとりこになろうとしている。自分がひどい女に思えた。なぜ公資を裏切ったのだろうかと思った。普賢に許しを乞いたかった。しかし、普賢は相模の心の中に現れなかった。相模は平静でいられなかった。心の中の普賢こそが、相模にとって唯一の支えだった。今まで相模の言動を否定したことはなかった。いつも温かく見守ってくれた。それなのに、今沈黙して姿を現さない。どうしたらよいのだろう。悩みながら相模は歌を詠んだ。

　かたらひしこともたかはす時鳥《ほととぎす》
　こたかきかけにかくれにし哉《かな》

いつも話をして了解し合えたと思っていたのに、普賢《ふげん》はどこへ行ったのでしょうか。

相模は東国での二年目の春、神仏に祈るつもりで田におり立った時のことを思い出した。あれはみな幻のように消えてしまったのだろうか。あの時は、心が落ちついていて、神仏のそばにいる気持ちがしたのに。

あの侘歌《わびうた》への思いはみな水泡《すいほう》に帰《き》してしまったのだろうか。神仏は怒って、私のことを忘れてしまったのだろうか。田植えをしようと連れだって田に降り立った姿はどのように見えたのだろう。

みとしろの苗《なえ》引《ひき》連《つ》れておりたちし
たこの姿よいかにみえ劔《けん》

相模は普賢の現れないことを気にしながら暮らしていた。ある時、近くの山をくぼて（神への供《く》物《もつ》を載せる器具。柏の葉を並べて竹ひごでとじた箱形の器具）を持って登っている時、空に大きな普賢の姿が見えた。今まで、心の中に浮かんだ姿に比べると、はるかに大きな立ち姿である。相模はうれしくなった。普賢は私を見捨ててはいなかった。むしろ、今までよりもっと大きな姿になって私を励ましてくれている。相模はその喜びを歌にした。

片山の柏《かしわ》のくほてさしなから
おひなをるみるさかへとも哉《かな》

相模はうれしくてならなかった。思い悩みながら、自分のあやまちを普賢は認めてくれた。そうだ、五月のあやめ祭り用に、木綿襷《ゆうだすき》を早く支度《したく》しましょう。

さつき待つ程《ほど》ならね共《ども》ゆふたすき
あやめもわかす祭る比《ころ》哉《かな》

五月になった。相模は歌合《うたあわせ》に出席した。相模から見ると、どの歌もその時の思いつきを歌った軽いものばかりだった。しかも、理屈《りくつ》の通らない歌が多い。自分の歌の評価も芳《かんば》しくなかった。少しくやしくなり、時勢《じせい》におもねる歌でも書いてみようかという気になった。

深からぬよとの汀《みぎわ》の菖蒲《あやめ》草《ぐさ》
ねたきに何かかきてみるへき

公資からの便りが来なかったので業《ごう》を煮やした相模は手紙の中に相模が使った香りを添えて遠《とお》江《とうみ》の公資あてに送った。その時の歌を次のように詠んだ。

古《いにしえ》のわすれかたきにいと丶しく
花橘《はなたちばな》のかをやのこさん

昔の東国での楽しい生活がますます思いだされるこのごろです。花の香で私を思い出してください。

公資からの返事はなかった。相模は少し腹が立ってきた。その時の気持ちを詠んだ。

野かひにも放《はな》ちやせましまこも草
はなれの駒《こま》の長閑《のどけ》からぬを

放牧の馬のように放っておこうかしら。一人でいる公資は私のことを放たらかしにしてのんびりしすぎていますす。

それにしても公資は何も言ってこない。公資は京の生活を忘れてしまったのではないかとさえ思われた。相模は貞淑《ていしゅく》でありたいが、誘惑《ゆうわく》が多いのだと言ってやりたかった。その気持ちを詠んだ。

時鳥《ほととぎす》人にくからぬよにすまは
声はかりをはおしまさらなん

女の人を好きになると、男の人は求愛の言葉を投げかけてくるのです。公資よ、もし私のことが好きならば、無精《ぶしょう》をしないで手紙を書いてください。

それでも公資から手紙は届かなかった。相模は使者をたてて公資の様子を聞きに行ってもらった。使者は手紙で、公資は女の人と暮らしていると伝えてきた。相模は落胆し、自分のことを嘲《あざけ》る気持ちになって詠んだ。

ほともなき身のみこかるゝ螢《ほたる》をは
人しれす社《こそ》思ひあはすれ

一生懸命、公資のことを思っていたが、何のことはない、甲斐《かい》がない恋をしたものだ。
六月になった。公資に捨てられたことを知ってから、相模は身も心も衰弱してしまった。暑さが体にこたえた。歌を詠むことさえ難儀《なんぎ》だった。

夏の日を一つにいりていふ事を
あつかはしとは思ふへしやに

たった一つの歌を作ることさえ、暑苦しいと思ってしまう。
公資に捨てられたショックと暑さが重なり、侘歌《わびうた》を作る気力も心の中で普賢と会う気力も失せていた。そのかわり、心の中に愚痴ばかりが湧いてきた。結局、自分は誰も信頼することはできない。誰を頼りにしても、人はみな裏切っていくものだ。自分の言うことは役に立たないことだ。そのような気持ちで歌を詠んだ。

とこなつにあたなる花の露なれは
心をかれぬおりはなき哉《かな》

自分はなでしこの露と同じなのです。心に置いておくことのない、はかない花の露なのです。今までは精神は成長すると信じていた。京での生活には自信と張りがあった。しかし、公資に捨てられたと知ったら、そんな自信はみごとに打ち壊《こわ》されてしまった。まるで声を出し尽くしたせみの抜け殻《がら》のようだと相模は嘆いた。

鳴聲《なくこえ》もみなつきはては空蝉《うつせみ》の
木にはからをやしはしとゝめん

相模は公資のことが忘れられなかった。じっと蚊遣火《かやりび》を見ながら考えた。公資が自分のことを思っていると信じて過ごしてきた夏だったのに、公資は他の女の人を好きになって、私の知らないうちに去って行った。そう思うと、居ても立ってもいられなかった。

蚊遣火《かやりび》のふせけと思ふをこその夏
煙の中にたちそさりにし

相模は自分の悩みを振り払いたかった。どうにもならないことを悩んでいると知っていたが、その悩みから抜け出す術《すべ》がわからなかった。

思ふことしけきふもとにみそきする
せゝの川風吹きはらは南《なん》

瀬々《せぜ》の川風に当たって、公資への思いを断ち切らせてと頼みました。ちょうど、山から吹き下《お》ろす風がふもとを静めるように。

七月になった。相模の気持ちは少し落ちついてきた。公資のことを客観的に考えられるようになった。執着する心もなくなってきた。

秋風はおきの葉にこそふけはふけ
心の中のすすしきやなそ

執着がとれるなら、その方がよい。心の中は落ちついてさわやかになるのだから。そう思ってはみるものの、相模は公資への執着を断ち切ることができなかった。東国での生活は相模にはたいそう尊いものに思われたから、たとえ公資が別の女と暮らしていても以前のように戻ってくるのではないかと思うのだった。

織女《たなばた》のとしふるいとはたえぬ共《ども》
むすほほれたる物《もの》を社《こそ》思へ

もう私は年をとっていて、織女のように糸は織れません。しかし、あなたとの楽しい生活のあったことをどうぞ、思い返してください。

相模は内親王邸での生活が長く続いた。思えば、公資と一緒に過ごした時は短かった。一人で寂しさに耐えて暮らした時の方が長かったのではないかと、そう思って歌を詠んだ。

天川《あまのがわ》わたるあふせはほとなくて
へたつる年のとをけなる哉《かな》

しかし、公資のことを一人思っている自分が時々みじめに思えてくることがあった。公資にとって、私は最良の妻だったのだろうか。私は自分の愛情を信じて疑わなかった。だからこそ、公資がどう思おうと、安んじて暮らしてきた。しかし、果たして最良の妻といえただろうか。公資は私がそばにいなければ、すぐに違う女の人を頼りとする。結局、そばにいる女の人ならば誰でもよいのではないか。そのようなことを思いながら詠んだ。

秋きぬと古き扇をわすれなは
又はりかへよよこめならぬに

私に嫌気《いやけ》がさして、公資は私のことを忘れ果ててしまったようだ。それもしかたがないことだ。他の女の人と暮らすことも、公資がよいと言うのなら、そのようにしたらいいでしょう。

さらに相模は考えていた。どうして公資は私のことを忘れたのだろうか。ただ、そばにいないから忘れてしまったのだろうか。相模にはそう思えなかった。東国での生活ののち、独り暮らしに耐える力がつけばつくほど、公資は相模を頼りにするものの、本当の愛情を求めてはこなかったのではないのか。そのように思われた。公資は公資で機嫌をとってくれる人が現れれば、すぐに心の支えとなる人を忘れていくのではないのか。相模は公資の態度を冷静に見つめれば見つめるほど納得がいくのだった。

ほに出《いで》て風のなひかはしのすすき
そよや下葉《したば》の露は結《むす》はし

私に独立心が増せば増すほど二人の関係は悪くなり、自然と男は愛想づかしをして、機嫌をとってくれる女の人のもとに去って行ってしまう。相模は歌を詠みながら自分の人生を考えた。

八月になった。公資のことを考えることは少なくなった。相模を誘う男は多かった。容姿にすぐれ、和歌の才能もあったので、男達は放っておかない。公資の一件で心の整理がつくと、相模の態度も快活になってきた。公資には公資の人生があり、自分には自分の人生があると思えてきた。いたずらに捨てられたと思うこともやめた。

八月のある日、小萩《こはぎ》が原《はら》という所に、若い男から誘われた。男は地面に顔をつけて求愛した。相模はその一途な態度と美しさに戸惑いながらも、心が洗われるような気がした。

をしかふすこはきか原におく露《つゆ》の
こほる許《ばかり》の色をこそませ

相模はその若い男とねんごろになった。男に抱かれていると、生きている実感があった。若い男との恋愛は相模の官能をくすぐった。毎晩来てほしいと思った。

鈴《すず》虫《むし》の聲《こえ》もたえせすをとつれん
よゝふるしるしありと思はん

官能に溺れる日を送りながらも、ふと、醒める瞬間があった。たとえ男が毎日通って来ても醒めるのだろうと思った。若い男と逢った翌朝、朝顔の露を見て、二人の関係のはかないことを感じるのだった。そして、理由もなく男に別れの言葉を言った。

儚《はかな》さをまつ目のまへにしらするは
まかきの上の朝顔《あさがお》の露《つゆ》

相模は一人空を見ながら考えた。いったい自分の心のよりどころは何なのだろう。今、若い男と密会をしたが、心の底から満足するものではない。思えばいつも何かを求めながら、それが何なのかわからない。空を飛ぶ雁は、いったいどこへ行こうとして、あのように鳴いているのだろう。

故里《ふるさと》を雲井《くもい》になして雁金《かりがね》の
中空《なかぞら》にのみなきわたる哉《かな》

相模は月を眺めた。秋の夜の月の光は、あらゆる所に注いでいる。自分の心はいつも小さなことに執着してきた。そして、それに夢中になってきた。そのくせ、満足できなかった。しかし、何でも心の行き届くことなどできるはずがないから、自分の態度は正しいと思ってきた。秋の夜の月は、隅々《すみずみ》まで照らしている。人の心の細部まで思いやることなどできないと思っていたが、自からそれを遠ざけていたのではないか。自分にはできないことだと決めていたのではないか。あの月の光のように、人の心の隅々まで照らすことができたら、どれほどよいだろう。

隈《くま》なしとなけくならねと秋のよの
月にこころはあくかれそする

九月になった。相模の心にまた普賢が現れるようになった。時々、相模は公資を思い、若い男を思い出した。その行く末が幸福であるように祈った。時に涙がこぼれることがあった。相模の流す涙は心の中の普賢の袖にかかった。不思議なことにその涙が袖にかかる時、普賢はやさしく笑い、衣の袖をゆっくり動かすのである。相模は自分の涙が貴重なものに思えてくるのだった。

露《つゆ》を重《おも》みいかはかりかはかかる覧《らん》
こかねの玉とみゆる玉哉《たまかな》

相模はふと西寺の普賢菩薩に会いたいと思った。しばらく会っていない。今、会えたならばもっとたくさん話ができるのではないだろうか。そう思うと矢《や》も盾《たて》もたまらなくなってきた。もう夜半だった。相模は被衣《かづき》をかぶると、そっと邸を抜け出した。夜道は暗く、女の一人歩きなど誰もしていない。しかし、相模は西寺に行き、普賢菩薩を拝むとすぐに帰ってきた。

夜寒《よざむ》なる風に急きてから衣《ごろも》
うちおとろかすねさめをそする

夜中に歩いた時に夜露で衣がぬれてしまった。ひたすら普賢のことを思い歩いた気持ちは忘れ難かった。女中に「被衣《かづき》がぬれていますね」と不審《ふしん》がられた。「あの田のかかしだってぬれるのですもの。普賢を求めるものならぬれるぐらい厭《いと》うものですか」と思い出して詠んだ。

そほつをも何ならし劒《けん》秋の田の
ひたおもむきにあらぬ物《もの》故《ゆえ》

その夜、相模が普賢と何を話したかは知るよしもない。ただ帰ってきた後の相模の歌には変化がみられる。

言のはの色の深さをたのむ哉《かな》
露《つゆ》もゝらすなみやま木のもと

歌に詠む言葉に永遠なものを盛ってください。そして深山《みやま》の木のもとで話し合ったように、普賢の教えを少しでも漏らすことなく教えてください。

紅葉が美しい季節になった。紅葉狩りに山へ行った。紅葉を見ながら、ふと一条帝を思い出した。一条帝の言葉が浮かんだ。

「侘歌《わびうた》こそまことの恋歌。侘歌を作ってください」
一条帝の言葉が新鮮に思えた。普賢の言葉と同じように身が清められるような響きがあった。その時の思いを歌に詠んだ。

紅葉《もみじ》ちる秋のわかれの悲しさに
物思《ものおも》ふことはむかしこりにき

一条帝との別れは悲しく思いだされます。しかし、別れの悲しさを思い悩みましたので、もう悲しみに沈むまいと思っています。
十月になった。神前での踊りが行なわれた。きらびやかな装束《しょうぞく》の女官達《にょかん》が、笛や鼓《つづみ》とともに優雅に踊った。それは昔から連綿《れんめん》と続いており、この先もずっと続くように思われた。相模はどこか自分とは違った世界のような気がしていた。

たちかはる冬の衣《ころも》のすきまなく
千世《ちよ》を重《かさ》ねんひろまへにして

相模は栗栖野《くるすの》の氷室《ひむろ》を訪ねた。昔、仕えたばかりのころ行った場所である。相模は自分の来し方《かた》を考えていた。あの時は、若く希望に燃えていた。何もかも新鮮に見えた。大きな氷室の氷を見て初めて、そこに何か神秘的なものを感じた。今、氷室の氷だけでなく、氷室の前に飾ってある小さな榊《さかき》の葉も無心なせいで嵐を起こす力があるのではと思える。

うらもなきひむろのまへの榊葉《さかきば》は
あらき嵐の風もふかしな

十月のある日、初霜が降りた。庭には菊が咲き誇っていた。一人の女房が凡河内躬恒《おおしこうちのみつね》の歌を読んだ。

心あてに折らばや折らむ初霜《はつしも》の
おきまとはせる白菊の花
（古今和歌集）

大体この辺だろうと見当をつけて、折れるならば折ってみよう。どうせ、初霜があってどこに白菊が咲いているのかわからないのだから。
相模はその歌を聞いて詠んだ。

秋ことにしもはかくせど菊の花
をき所《どころ》なき心地《ここち》こそすれ

霜は秋ごとに菊を覆《おお》うけれども、本当は菊を覆うつもりで降りているのではありません。あの氷室の氷が地中に沈み、また霜となって現れるように、生命の永遠である様を伝えているのです。もし、菊を隠そうとして降りるのだと思ったら、霜はどこに降りたらよいかわからなくなります。

難解《なんかい》なせいか相模の歌を女房の誰ひとり、理解する者はなかった。

相模が夜、時々邸を抜け出すことは知れ渡っていた。その振る舞いは奇矯《ききょう》だと思われていたので、相模の作った歌もおかしなものだとしか思われなかった。

十月は曇りの日が多かった。相模は心の中で普賢と話す時間が多くなった。四六時中《しろくじちゅう》一人部屋に座し、独《ひと》り言《ごと》を言っている日が続いた。付き人達は相模に物《もの》の怪《け》がついたのだと気味悪《きみわる》がった。

相模はまた、充実した時を過ごせるようになった。神がいない月とされていても平気だった。涙を流すことがほとんどなくなった。その時の気持ちを歌に詠んでみた。

ともすればかき曇りつつ神無月《かんなづき》
猶《なお》そ時雨《しぐれ》のひまなかりける

ふつうならば神がいないと泣き暮らしているはずなのに、普賢を身近に感じることができるので涙を流す暇がありません。

相模は一人で、近くの神社に詣でることもあった。小さな神社の周囲の垣根に月の光がさしていた。暗い中に神社が浮かんでいるように思えた。おりしも、空から霰《あられ》が降ってきた。月の光の中に浮かぶ神社と霰の降る様は、この世のものではないように思えた。

相模はこの光景はどこかで見たような気がした。東国でひとり住まいの折に見た光景に似ていた。自分の住んでいたあばらやに降った霰と同じように思えた。あの時も一人だった。今もまた一人である。霰の降る光景は、一人でいる時にしか出合わないように思える。

みつかきのかけかかやける臺《うてな》には
あられを玉の數《かず》と頼みし

十一月になった。川には氷が張ってきた。相模は夫婦仲の睦《むつ》まじいおしどりのことを考えた。このような寒い日にはどうしているのだろう。ちょうど氷が解けて地中に沈み、また霜となって現れるように、鳥も死んだのち、また仲睦まじく暮らすのだろうか。そのような気持ちで詠んだ。

霜こほり冬の川瀬にゐ《ゐ》るをしの
うへしたものを思はする哉《かな》

●歌への意気込み

相模はこのころ、侘歌《わびうた》を作ろうと考えていた。心のどこかに侘歌を作れるという自信があった。相模は他人の歌をよく読んでいた。相模の好きな歌人に曽禰好忠《そねのよしただ》がいた。好忠は五十年以上も前に活躍していて、そのころの人に人気があった。活躍したころは斬新《ざんしん》な歌が認められず、物狂《ものぐる》いだと言われていた。そんな経歴も相模の愛するところだった。その日、相模は好忠の歌を読んだ。

なつかしく手には折らねど山しづか
垣根《かきね》のゝはら花咲きにけり
（曽丹集《そたんしゅう》）

山に住んでいる身分の低い好忠《よしただ》の家の垣根に野ばらが咲きました。その花の可憐《かれん》さに打たれて、手折《たお》らないで眺めているのです。

相模はその歌を読みながら、好忠の気持ちがよくわかった。好忠の中に歌を作る自信があふれていた。誰も認めてくれないけれども、自分には歌の才能があり、今、まさに咲こうとしているのだという内容だった。

相模は好忠の歌を読みながら、自分と似た考えの人がいることを知って、うれしくなった。その気持ちを歌に詠んだ。

常葉山《ときわやま》ゆきふりかかる夕暮は
名をわすれたる花やさくらん

自分はいつも歌について新鮮な気持ちでいます。たとえ雪が降っても、夕暮になってもへこたれるつもりはありません。侘歌を作る相模の名は京では認められておりません。しかし、いつかそれが実ることを信じています。

侘歌を作ったわけではない。まだ満足のいく歌を書いたこともない。それでも相模には不思議と心の中に将来納得のいく歌が作れる自信が湧いていた。

このころ、相模の歌が歌合で好評を得たときがあった。その歌が何だったのか、ここに記されていない。しかし、その時の様子を伝える歌がある。

庭火《にわび》たくかくらのにはのいちしるく
我榊葉《わがさかきば》のさしはやさ南《なん》

庭に火を焚き、神楽《かぐら》を奉《ほう》じた後、榊葉《さかきば》をかざして歌を詠みました。私は神を奉ずる歌を作りました。霊験《れいげん》あらたかと皆にもてはやされたことです。

相模は自分の歌が認められたことから、歌への自信を強く持った。本来の侘歌を作れないとしても、人に認められることは何かがあるのだろうと思った。
ある時、大原の里に内親王達と炭焼き窯を見に行った。炭焼き人は木を窯の中に投げ入れると、じっとその炭火を見つめていた。その目つきの真剣な様子に相模は心打たれた。

やくとのみなげきをこりてすみがまの
煙たえせぬ大原の里

ただ嘆くのではなく、もっぱら歌を作るのに専心してこそ、本物の歌はできてくる。そして、よい歌を作ろうといつも意欲を持っていなくてはならないと、大原の里に来て思ったことです。
ある時、女房達と琵琶湖《びわこ》を見に行った。皆、その眺めのよさに騒いでいた。相模はふと、湖面に一艘《そう》の捨てられた小舟が浮かんでいるのに気がついた。目を移すと、岸辺に櫓《ろ》が一丁置いたままになっていた。それを見て相模は詠んだ。

うきてのみ沖《おき》に別るる蜑《あま》小舟《こぶね》
なきさにかちやとところ覧《らん》

夫に捨てられ、恋人と離れてつらいことばかりでした。私は広い海に出ることもなく、この海辺にじっと止《とど》まっています。しかし、この櫓がなくては小舟も動きません。

十二月になった。時々、公資《きんすけ》のことを思った。返事を期待しないが、歌を書いて送ることがあった。

けふりして年ふりぬるとこしの山
雪ともみえぬみねの白雪

歌を作ろうと思いながらも、この一年過ごしてしまいました。あなたに手紙を書いても返事はもらえないでしょう。どうして暮らしているのでしょうか。私には何もわかりません。

公資の返事はこなかった。それでも相模は歌を書きつづった。

夜を寒《さむ》み乍《なが》らわふなる山《やま》鳥《どり》の
おはにもふれてよそへさら南《なん》

夜を一人で過ごして、侘《わび》しい思いです。私の心と体に触れながら、他の女の人のもとに去っていった公資を寂しく思っています。

公資を思いだすと、楽しかった東国の暮らしが思い出された。

春になって、家の軒先《のきさき》から雪解《ゆきど》けの水がつららを伝ってぽたぽた落ちる音を聞きながら、二人で楽しく春の訪れを語り合ったことがあった。長い冬が去って、二人で真剣に生活し始めた春だった。相模には何物にも代え難い貴重な思い出だった。公資はあの瞬間を忘れてしまったのだろうか。どうか思い出してほしいと詠んだ。

思ひやれ雪げの垂氷《たるひ》ひまもなく
かつ〲注《そそ》く宿のつらゝを

年の瀬になった。春が待たれるころに、昔、梅の花を見て春の来るのが待ち遠しかったものだ。それは公資との楽しい生活を予感させていたからだ。
今、年をとり一人になって同じ梅の枝を見ている。そのような若いころの燃えるような感慨はもうない。しかし自分の思いとは別に、昔と同じように梅の枝に芽が生えてくる。

年ゆきて春のとくへき比《ころ》なれは
梅のたちえにめをつくる哉《かな》

大晦日になった。皆あわただしく過ごしている。しかし、ただ忙しがっているだけで真剣には考えていない気がする。それは慎まなくてはならないと思う。

はては皆《みな》やらひてすくす年月《としつき》の
物《もの》おそろしや身にとまる覧《らん》

相模は周りのあわただしさの中で、冬の終わりを考えていた。誰も人生の果てを考えることなく、あくせくと年月を過ごしてしまう。永遠なものを考えることもない。いつも近くのことばかりに目を奪われてしまう。何とか永遠なものが自分の身に留まってくれればよいと考えた。

このころ、相模は普賢《ふげん》ばかりでなく、他の神との会話もした。琵琶湖を見ていると海神《わたつみ》の姿が心に浮かぶ。海神は身に荒波をまとい、厳しい顔をしていたが、相模の方を向くと白い和やかな波を送ってくれる。それが何を言っているのかはわからないが、その海神が相模を遠くから見守っていると思えた。それを詠んだ。

わたつみの底をそ頼む今よりは
思はぬ方のうきめからすな

海神《わたつみ》の真意を頼み、これからすがる心づもりです。水面《みなも》に浮かぶ海藻《かいそう》を枯らさないようにして、海神を悲しませないようにしたいものです。

●三条宮《さんじょうのみや》で

東国から戻り相模が出仕した時、相模は皇后定子の不幸な最期《さいご》を思い浮かべて歌を詠んだ。

あめの下雲のとかにもあらぬよに
すみても見ゆる秋の月哉《かな》

雨の下の雲ものどかではない世の中なのに、秋の月は依然澄んでいます。

藤原道長は娘の彰子《しょうし》を一条帝の妃《きさき》とし、皇后の定子を帝から遠ざけようとした。愛しあう帝と逢えず、寂しくすごしている時に皇后は出産をする。ところが第二皇女媄子《こうじょびし》を産んだ直後に皇后は亡くなってしまう。その野辺《のべ》の送りが哀れに思えた。一方、一条帝は、その十年後、皇后定子のことを思いながら亡くなる。

哀君《あわれきみ》雲のよそにも大たにの
烟とならんかけをやはみし

哀れな一条帝は、なお谷を渡る煙となって皇后定子の面影を慕っていることですよ。

この歌を相模は歌集の中に入れるのに工夫した。哀れな君が一条帝と思われないように、歌のすぐ後に大和宣旨《やまとのせんじ》の歌を入れて、あたかも皇太后妍子《こうたいごうけんし》の死を悼《いた》むように装うことにした。相模は皇后を亡くした後の帝の気持ちを思いやって歌を作った。

とは、やと思ひやるたに露《つゆ》けきに
いかにそ君か袖は朽《く》ちぬや

どうしていらっしゃるかと思って聞こうとしても、私の袖さえ涙でぬれてしまっています。

注 本来この二つの歌は歌集の前の方に出てくるはずのものだ。帝が亡くなったのは相模の若いころで、公資と相模が離別の問答をしたのは相模が年を経た時のものだ。しかし二首の歌があえて混在して置かれているのは相模と脩子内親王による、皇后定子と一条帝への心づかいのせいだ。公資や定頼との応答の歌も二人の歌の近くに入れてある。そこで読者には時間の経過がとてもわかりにくいものとなった。歌集は摂関家への配慮を必要として生まれたことがわかる。

●失望　――公資《きんすけ》の訪問――

しばらくして公資から便りが届いた。

ゆきかひの道のしるへにあらましを
隔《へだ》てける哉《かな》足柄《あしがら》の関《せき》

二人の間を隔てているのは単に足柄の関だけで、心の隔てはないのだと言ってきた。

相模はもう公資のことを忘れようとしていたから、すぐに歌を送った。

なのみしてあと絶《たえ》にけりゆきかひの
逢坂《おおさか》ならぬほかのせき道

言葉だけで誠実さのない公資よ。心から私に逢いたいのではなく、他の女の人を今も大事にしているのでしょう。

すると公資から意外な返事がきた。

ゆきかひのあふ坂ならぬ関道《せきみち》は
絶《たえ》けんあとのかひやなか覧《らん》

もうあの女とは別れました。今は一人で寂しいので、もとの相模に戻ってください。そこで相模は、「頼りにしているというならば、はるばる遠く会いに来るはずなのにそれもしないで、もとの女の人の所に通っていると聞いています」と言って次の歌を書き送った。

あら磯のみるめは猶《なお》やかつく覧《らん》
末のまつまてなみたかく共《とも》

心中おだやかでない私をどうやってなだめようとするのですか。私の感情のたかぶりは波が松の末まで届くほどの勢いなのですから。

公資からは折返《おりかえ》して歌が送られてきた。

あら磯の底のみるめをかりにても
よゝ恨みけん蜑《あま》そしる覧《らん》

たとえ相模の心が荒れていても、その荒れている心を恨めしく思っている海人《あまびと》がいると、とりなす内容だった。
相模は、かたくなにこれを拒んだ。

うらまてのみるめかるへきかたそなき
また波馴《なみなれ》ぬ磯の蜑人《あまびと》

私の哀しみを察する人はどこにもいないのです。あなたは磯の海人を気取っているけれど、恋に慣れない女の人の気持ちをわかってはいないのです。

どういうわけか公資は、つきあっている女を連れて相模を訪ねてきた。相模の所に来て、女は公資がこのごろつれなくなったなどと言う。相模はそのようなことを言う公資にひどく失望し、怒りの気持ちも静まってしまった。

涙川《なみだがわ》なかるゝみをとしらねはや
袖《そで》はかりをは君かとふらん

相模は私の袖のことを気にしていますが、私は相模が恋しくて体ばかりでなく心までもおかしくなりそうです。

公資からは再三、相模の許に手紙が届いていた。相模の影響からだろうか、相模への思いが歌を巧みにするのか、公資の堂々とした歌である。

神無月《かんなづき》しくるゝころもいかなれや
空《そら》にすきにし秋のみや人

あなたの手紙を読むにつけても神のいないことです。あなたは宮人《みやびと》として仕え、秋は過ぎてしまい、ますます気持ちが淋しくなってきます。

このような手紙のやりとりは頻繁《ひんぱん》に行なわれた。一年たった九月の末、逢うことになった。公資の方が訪ねることになっていたが、どういうわけか公資はやって来ず、二人は逢うことができなかった。相模にはその理由が知らされなかったから、その落胆ぶりは相当なものだった。しばらくして公資から手紙がきた。

たのめしをまつひかすのみすきぬれは
猶《なお》秋はつる程《ほど》を知《しる》哉《かな》

相模と逢う日のみを期待して指折りその日を待っていたのに、その日もすぎてしまいました。このうんざりした気持ちを知っていますか。

相模はその手紙で公資が何かの理由で来られなかったことに得心がいった。

公資は相模がそばにいないことが耐え難かった。地方で働く官吏の公資にとって内親王に仕える相模の存在を考えると、仕事をやめてしまいたいと考えた。殺伐な自分の生活にひき比べ、優雅で恵まれた相模の生活を思うと、一人で仕事を続けるのが苦しかったのだろう。

そのころの公資の歌がある。

さりとてはとけぬ物から中〳〵に
よはの時雨《しぐれ》の驚《おどろ》かすらん

職を辞めようか、辞めまいか。しかしやはり辞めるわけにはいかない等と迷っていると、夜半の時雨の音にさえ驚いてしまうのです。

相模の返歌。

おとろかすしくれの比《ころ》か神無月《かんなづき》
うちとけてやは夢をみる覧《らん》

公資からの手紙で驚いてしまいました。あなたが仕事を辞めて、私と一緒に暮らしている夢を見ました。辞めることができたらいいのにと思います。

相模は公資と手紙を交わしながらも、時々、定頼のことを考えた。「心のしんとする侘歌を作ってください」という言葉が心の奥底に根づいているようだった。相模が出仕した後、定頼も宮中に縁があったことから若者を使者にたてて相模に手紙をよこした。若者は端正な顔立ちであり、思わず相模はその者を庭に入れて話をした。「なつかしい定頼はどうしているのか。今は何をしているのか」と必死に尋ねると、若者は相模を気の毒に思って歌を詠んだ。

植《うえ》をきし人の心はしら菊の
花よりさきにうつろひにけり

もう定頼様の心はあなたの方に向いておりません。定頼様はもう他の人に心が移っています。相模は公資から愛されていたという自負があって、歌にこめた。

うつろひし残りの菊もおり〳〵に
とふ人からそ哀《あわれ》なりける

他の人には衰えて見える私でも、私の方を向いてくれる人は可愛いと思ってくれるのです。相模の精いっぱいの強がりであった。相模は宮仕えをして世に受け入れられたと思っていた自分が、長年心の底で思っていた定頼の心を留められないと知って強い衝撃を受けた。しばらくして公資からは相模に帰ってきてほしいという手紙が来た。相模のことを盛りのすぎた梨といって書いているが、決して貶《けな》しているのではない。

さかりすきてくちたるなしを、おさなき人の許《もと》にやるとて、たたならじとて

をきかへし露計《つゆばかり》なるなしなれと
千代ありのみと人はいふなり

年を経た妻を幼い内親王の許《もと》にやるのはとんでもない話です。私の妻は水っぽいだけの時期を過ぎた梨なのに、他人は「いや違う、長い間働いていても大丈夫」と言ってなかなか宮中から帰してくれません。

公資のユーモラスで純粋な一面がうかがえる。相模はこの手紙に泣けて仕方がなかった。

露《つゆ》にてもをきかへてける心さし
猶《なお》ありのみとみるそ嬉しき

公資が私のことを大事だと思ってくれるそのことが何とうれしいことかと書き送った。

十月のころ、相模は脩子内親王に従って大和《やまと》の初瀬にある長谷観音《はせかんのん》に詣《もう》でた。そこで公資のこと

を思い出した。

殊《こと》さらにいのりかへらんいなり山
けふは絶《たえ》せぬすきともる覧《らん》

祈りの叶《かな》うという稲荷山《いなりやま》よ、祈願するための杉に火が灯り、私の公資に対する好きという気持ちをどうか絶やさないでください。
そのあと相模は大和のあと村という所に立ち寄った。草深い所で遠くに鹿の声が聞こえた。その声を聞く度に公資が思い出され悲しくなってきた。

鹿のねに草の庵《いおり》も露けくて
枕なかる、あとむらのさと

相模は寝ながら涙を流していた。しかし不思議なことに相模が思いだしたのは定頼のことだった。公資との生活を夢見ながらもどこかで定頼のことが忘れられなかった。
大和の国のすがた池という所に行った時のことだった。相模は公資のことを思う自分と定頼のことを思う自分があるのに気づき、どうしてよいのかわからなくなった。その池の形は旅人の形をしていた。相模は自分のことを恋の旅人になぞらえた。池に映る影をみて、自分の思いの不確かさを嘆いた。

行人《いくひと》のすかたの池の影みれは
あさきそ底のしるしなりける

良因寺という寺に行った。寺には古いかえでがあった。その荘厳《そうごん》な古木《こぼく》を見ていると、ふと定頼の言った、「心のしんとする侘歌《わびうた》を作ってください」という言葉が思い出された。相模は奈良の神社に詣《もう》でた。境内には榊《さかき》があった。榊には当時、木綿《ゆう》（木の繊維でできた糸）をかけて祭るのが一般的だったが、相模はちょっと茶目《ちゃめ》っ気《け》を出して榊に定頼への恋歌を挟《はさ》んでみた。

何ならんならの社《やしろ》の榊《さかき》には
ゆふとはみえぬ物そか丶れる

相模は参詣が終わると、紅葉《もみじ》の多いなべくら山に行った。その鮮やかな色を見て自分の心と同じだと感じた。この時は公資のことを思い出した。燃える炎の色の様に公資に会いたいと考えた。たかふちという所に行った。当時旅人は食料として小さな糠袋《ぬかぶくろ》を持っていた。山を歩く旅人達はいつ食料が不足するか気が気でなかった。しかし山の雉子《きじ》はのどかなもので食料探しに夢中になどなっていなかった。相模はその雉子が羨ましくなった。自分は他人に愛情を求めるから思い悩むのだろうかと考えた。

旅人はこぬかあり共《とも》たかふちの
山の雉子《きぎす》はのとけからしな

相模は公資と定頼の両者を思う気持ちをなくせなかった。

●公資との断絶

公資から手紙が届いた。けれど公資との心通う手紙のやりとりは長く続かなかった。公資は手紙を出すと言いながら出さなかったり、会う手続きをしていると言いながらしていなかったりして相模を落胆させた。二人はなかなか会う機会がなかった。相模は公資の気持ちが自分から離れていくのに気がついた。気がつくと放ってはおけない性格だった。相模は自分の思いを公資に伝えずにはいられなかった。

ありふれはうき世なりけりなか丶らぬ
人の心を命ともかな

この世をすごしているとつらい世の中だと思います。人の心は永遠ではないと知ってはいても、その心を命と思い大事にしている私なのです。

そんな折、京都で外出していた時、橘則長《たちばなののりなが》が馬に乗っているのを遠くから相模は見つけた。しかし、則長は自分に気がついたはずなのに相模をまるで別人を見るようにしか見なかった。相模は則長に歌を書いた。

綱たえてひきはなれにし陸奥《みちのく》の
をふちの駒をよそにみる哉《かな》

則長と離れ離れのようになってしまいました。あなたは私を他人のように見ていました。

則長から手紙がきた。

其かみも忘れぬ物を蔓《つる》ふちの
こまかならすもあひ見ける哉《かな》

相模の髪もその文も忘れたわけではありません。はっきりと見えなかったけれど、相模（蔓斑《つるぶち》の馬）を確かに見ましたよ。

しかし則長からの手紙もそれっきりだった。

ある時、六道《ろくどう》の辻《つじ》で密教の教えを説いているというので加茂祭《かもまつり》の帰りに寄ってみたが、説教は既に終わっていた。相模は何かにすがりつきたかった。仏の教えがあるならば、それを頼りにしないと生きていけないように思われた。しかしその仏にも会えないでいる。

きのふまで神に心をかけしかと
けふ社法《こそのり》にあふひなりけれ

昨日まで神を拝んでいました。今日から仏を信じようと思っていたのに、その仏にすら会えません。

相模はまた一条帝と定頼の言葉を思い出した。不思議にも二人の姿はもう思い出さなかった。

忘るゝを歎《なげ》くもなにか憂身《うきみ》には
兼《かね》て思ひしことはりそこは

公資が私を忘れていくのを嘆いていました。つらい世に紛れて「侘歌《わびうた》こそまことの恋歌」という言葉を少し忘れかけていました。しかし、昔思った侘歌の真実はやはり忘れられません。

相模は公資のことを思い嘆いていたが、「まことの侘歌を作ってください」「心のしんとする侘歌を作ってください」という一条帝と定頼の言葉を思い出す度《たび》に不思議に自分の心が落ちつくのを感じた。

あやしくもあらはれぬへき袂《たもと》哉《かな》
忍《しの》ひねにのみぬらすと思に

しかし、現実に帰ると捨てられたという思いに支配され、つらくてならなかった。人知れず泣いていても涙が止まらないほど流れてくる。おかしなことに人に知られそうなほど濡れているたもとだ。

かきつめて胸のあまりにくゆる哉《かな》
こやいかなりし中の忍《しのび》そ

胸の思いをかき集めると思いこがれる気持ちとなる。これは何を大事に秘めているのだろう。ある時、宮中で行った旅の帰りに泊まる所がなくて、見ず知らずの老女が住む家に泊まった。相模は宮中の優雅な暮らしに慣れていたから、菰《こも》を引いただけの粗末な暮らしに驚いた。老女は昔、女房だったという。相模達に親切だった。老女の親切と女房の身の行く末を考えて、相模はその晩のことが忘れられなかった。

あやめにもあらぬ真菰《まこも》を引かけし
假《かり》の世とのも忘られぬ哉《かな》

公資のことを思い、歌を作った。

諸共《もろとも》にいつか逢へきあふことの
かたむすひなるよはの下紐《したひも》

あなたといつになったら一緒になれるのでしょう。なかなか解けない片結びの下紐《したひも》です。

そのころ、相模を失望させる事件が起こった。公資から恨みごとや脅迫に似た手紙がきた。公資は物語や歌集など焼いてしまった。相模はそれを悲しんで詠んだ。

あきはて、跡《あと》の煙はみえねとも
思ひさまさんかたのなき哉《かな》

公資の誤解がいやになってしまった。誰かこの誤解を解いてくれる人はいないのだろうか。相模はこの思いを定頼に書き送った。

あら磯のあまはやけともこりすまに
猶《なお》かりつへき物語《ものがた》り哉《かな》

私は懲《こ》りずに公資とのことで悩んでいるのです。自分のことだから自分で解決しようと思っているのです。私はあきらめずに自分の歌集を人から借りても集めるつもりです。

自嘲《じちょうぎ》気味《み》に書き送った。定頼からすぐに返事が届いた。公資のことを話すと、なぜかすぐに返事がきた。

あま人は又もこそやけこりすまに
なにかりつむる物語りかは

「自分で懲《こ》りないでなお思い悩んでいると言っていますが、それで何か収穫があったのですか」

と定頼は手厳しい。公資への嫉妬の思いがあった。相模は定頼あてに自分の心境を素直に歌った。

心からくるしさ物を思ふ哉《かな》
かゝらさりせはなけかましやは

公資とかかわりあいにならなければ、こんなつらい思いをしないですんだのに。

公資との音信が途絶えていたころ、人づてに公資が「相模の書いたものはまことがない」と言って破り捨てていると聞いた。当時、公資は上司の実資あてに大外記《だいげき》の官への栄達《えいたつ》を強く望んでいた。実資は歌に没頭し、地方官としての務めをおろそかにするのは役人にふさわしくないと公資の昇進を止めてしまう。自分の出世を妨げるのは妻の相模なのだと曲解し、公資は相模を恨み始める。地方官の出世競争は厳しかった。

相模には公資が恨む理由はわからなかった。ただ手紙を破り捨てていることは不本意だと伝えた。

常盤山《ときわやま》露ももらさぬことのはの
いろなるさまにいかてちる覧《らん》

常盤山にある葉なら色変わりしないだろうけれど、色変わりする言の葉ならばどうして破り捨ててはいけないのだろうか。

公資からの返事だった。

色かへぬ常盤《ときわ》なりせは言のはを
風につけても散さましやは

相模の心なぞ信用してはいないのだという冷酷な内容だった。

相模は自分の書いた手紙や歌を返してほしいと公資に言うと、「それはできない。奈良までだったら持っていってやる」という言葉を人づてに聞いて、公資の心が相模にはないことがよくわかった。

水茎《みずくき》もあとたへねとやまかせつゝ
たつたの川に流しはつ覧《らん》

自分の書いているのは、川に捨てるために書いているようなものだと相模は嘆いた。それでも公資は酷いことを言いすぎたと思ったのか、作った歌。

流すにもせくにもあらす水茎《みずくき》の
たえんかたみと思ふ計《ばかり》そ

川に流すのでもなくせき止めるのでもなく、手紙は相模との交情の形見としようと書いてきた。相模はこの形見の言葉を聞いてさらに悲しく思った。

絶ぬへき形見《かたみ》と聞けは水くきの
岩間をなに、もりはしめ劔《けん》

あなたが最後の形見とするというのを知って悲しくて何を書いてよいのかわからないと相模は書いた。

公資はもう完全に相模への熱が冷めてしまったようだ。

　恋しともえこそいはれぬ中々に
　いは、愚《おろか》になりぬへければ

自分が愚かになってしまいそうだ。もう相模を好きだとは言えないと表現している。

相模は公資から完全に嫌われてしまったことを知った。

　忍ふるに餘《あま》る思ひも有物《あるもの》を
　いはぬにみえぬいひかたきとは

忍びあう恋の中には言葉に出せない思いがあるのに、あなたは恋しいと言わないのではなく、もう恋しいと言えないと言っているのは何と嘆かわしいことか。

相模は公資への思いを捨てることがなかなかできなかった。妻としての自覚が思いを断ち切るのを妨げていた。

月を一人眺めながら、その気持ちを歌にした。

人しれず人またざりし秋たにも
た、にゐ《い》られし頃の月かは

皆に忘れさられ人を待つこともない秋の夜です。それでも私は寝ているわけにはいかず、月を眺めています。

知的な相模の一面がのぞく。

相模は自然を眺めることで公資との不和から立ち直っていった。

いなつまは照《てら》さぬ宵《よい》もなかりけり
いつらほのかにみえし蜻蛉《かげろう》

雷が毎晩鳴っている。いなびかりで明るくなった刹那《せつな》、かすかに見えたかげろうはどこにいるのだろうか。

情熱を捧《ささ》げきった後の淡々とした心境である。しばらくたってどういう心境の変化かわからないが、相模に未練を残す公資は暇なときに逢おうと書いてよこした。不思議に思った相模は、

東路《あずまじ》の其はらからはきたりとも
逢坂《おうさか》まてはこさしとそ思ふ

逢いたいといっても心の底から逢いたいと思って来るのではないのでしょう。私は逢坂の関を越えて逢うつもりはありませんと一蹴《いっしゅう》している。

相模は公資との生活をなつかしんでいた。心が通った楽しい時期があった。自分の心が不十分なために別れることになったのだとも考えた。

我乍《われなが》ら我身《わがみ》をいかになしてかは
みゆるに見えつ身をはなすへき

自分のことがよく理解できないので、外から自分をながめてみたいという内容だ。

ある時、定頼から突然の便りが届いた。歌が書かれていた。

獨《ひと》りぬるおりもやあると人しれす
心のうちになけきつる哉《かな》

公資と別れて一人でいる夜もあると思います。人知れず嘆いていることと思います。

相模はこの手紙がよほど口惜しかったとみえて、

なれもせすぬきかへもせぬ片敷《かたしき》の
袖をはかけて誰かとふ覧《らん》

私のことを好きだとも思っていない、離婚して一緒になる気でもないのに、相手にどのような気持ちなのかと尋ねるのは失礼千万と反発している。定頼に妻がいて、離婚してまで一緒になる気でないことを相模は知っていた。

●藤原顕信《ふじわらのあきのぶ》を教える

そのころ、相模のもとに通ってくる若い貴族がいた。その名前を藤原顕信《ふじわらのあきのぶ》といった。顕信は道長の息子で、側室明子《そくしつめいし》の子である。顕信は、あの革聖《かわのひじり》こと行円《ぎょうえん》の勧めで相模のもとにやってきた。相模の歌が好きだと言っては内親王邸に訪ねてくるのだった。道長が全盛の時代だったから、道長の子供と言えば、何の障害もなかった。

顕信は、来る日も来る日も相模のもとに通って来た。相模はこの若い顕信のひたむきさが好きだった。歌にまっすぐに向かう姿勢が、相模の心に火を灯した。

相模は若い顕信を見ながら、顕信のような男の子《おのこ》を育ててみたいと思った。顕信は青年の気概をもって精いっぱい伸びようとしていた。若々しい顕信を見ていると、自分もこのような気力のあふれる子供を育てたいと思った。その気持ちを歌に詠んだ。

たき物のこ計《ばかり》しみて恋ひしかと
かひなかりける身を悔《くゆ》る哉《かな》

自分は以前香をたき、衣に香をたき込ませた。子供を産み育てることを夢見たが、できなかった。今、普賢菩薩《ふげんぼさつ》の導きさえあるのに、それさえ誰にも伝えることができない。若い顕信を目の前にして、その時の気持ちを詠んだ。顕信にはその歌の真意はわからなかったが、歌を詠む相模が神々しく見えた。

相模は心の中で、誰か自分の心を理解してくれる者が欲しいと思った。自分の不思議な体験を語るのに、顕信はまだ受け入れる年齢に達していない。せっかく、自分の歌を好きだと言って訪ねてくれるのに、話をすることで顕信を失うのは寂しい心地がする。その時の気持ちを歌にした。

拾《ひろ》ふへきかたも渚《なぎさ》にみゆる哉《かな》
こをやいふらんうつせ貝《がい》とは

誰か私の真意を理解してくれる人はいないのでしょうか。もし子供がいたら、私は自分の心の思いのたけを述べるでしょう。それなのに、誰にも言うことができない。私ぐらいの年ごろでも子供を産む人はいるというのに、どうして私には子が授からないのでしょうか。空しく虚《うつ》せ貝を拾うということでしょうか。

相模は時々心の中の普賢を呼び出しては、子供のできないことに不満を洩らした。普賢は微笑しながら、それもあなたの修行ですと答えるのみだった。しかし、相模は納得できない。女に生まれ子供を育てないのは、仕事をしていないと思えたのである。その気持ちを歌にした。

撫子《なでしこ》の花もひらけぬませのうちは
露《つゆ》の光もなしと社《こそ》きけ

なでしこだって籬（まがき）の中に入っていると、光も届かず、花も咲かず実を結ばないことです。人間だって子供を産み育てないのは、仏の霊光を浴びていないのではありませんか。

相模の心の中に浮かぶ普賢はすました顔で衣の袖を動かすだけだった。まだ、気持ちのおさまらない相模はさらに詠んだ。

これやこの寶《たから》の山に入なから
たゝにて帰るためしなるらん

私は、普賢菩薩の声を確かに聞いたのだと思います。そして、自分でその試練に耐えようと思いながらも、神や仏はその試練さえも与えてくれないのですか。

相模には普賢が少しほほえんだように思えた。相模は子供が欲しくてならなかった。二葉をみても、赤子の手を思い出す始末だった。

当時、貴族達の間では子供の売買が広く行なわれていた。藤原摂関政治の最盛期で男の世継ぎがいなければ家が絶えてしまうことから、男子のいない家は養子を貰い、それもかなわないとなると子供を買うのである。広い門構えの藤原氏の末裔《まつえい》達の家にまだ男の子がいないと聞くと、籠に赤ん坊を入れた親達がその家に子供を売りに集まるのである。皆、自分の子の可愛さを口々に言う。貴族達は自ら出てきて、どれどれと顔を眺める。相模はその光景を見て苦々しく思った。富を築いた貴族達は子供まで金で得ようとしている。自分の子供を自分の力で育てたいと願っていた相模は、その光景にひどく反発を覚えた。

ふた葉にもおふるこ草のみゆる哉《かな》
猶《なお》中川のあさきなるへし

小さな草だって二葉が生えてくるのに、私に子供がいないのは相手との縁が浅いせいかしら。

相模はこのころから体の調子がすぐれず、伏すことが多くなった。望みの叶わないことが多くあった。

今も猶《なお》うれへかちにそなりぬへき
あたはぬことのあらん限《かぎり》は

顕信は相変わらず熱心に通ってきた。相模は顕信に普賢菩薩のことを話すべきか迷った。顕信は時の権力者藤原道長の側室の子であり、出世から少し遠いところにいた。しかし、その力次第では大納言にもなれる人間だ。自分の言葉が顕信に強い影響を与えると予想された。自分の子供であれば言える言葉が、顕信を前にすると言えない。心の中の普賢は真実を述べなさいと言う。相模は顕信の出世を妨げるようで言えないのだ。

うかりける身の怠《おこた》りのことはりに
憂《うれ》へて後《のち》もわれのみそする

私は仏の教えを伝えるかどうかで悩んでいます。顕信のことを考えると、やはり言わない方がよいと思うのです。悟りは自分一人得られればよいと思うのです。
顕信は相模の心を知ってか、思いのままを聞かせてくれとせがむ。相模がつれなくすればするほど、思い悩むようだ。できるかぎり、あたりさわりのない話をして、私はただの人なのだからと言っても、顕信は、相模は本当のことを教えてくれないと泣きわめく。相模は、この件については普賢に従うものかと決めているのだが、そうすればするほど、顕信はだだっ子のようになってくる。ほとほと困り抜いて歌を詠んだ。

神乍《なが》ら人なからとふうらめしき
憂《うれ》へしことのはしもならねは

普賢を無視するつもりでも、夢の中に現れる。さらに「顕信に真実を伝えてやりなさい。魂の永遠なことを顕信に伝えるのが相模の仕事なのです」と言う。

相模は目を覚ますと一人つぶやく。「たしかにそれで、私の心の奥底の荷はおります。しかし、一方で顕信はこの世から離れていくでしょう。それが私にはすまない気がするのです」。相模には顕信の出世を妨げまいとする親心があった。

そのかみにうれへし事は程《ほど》へても
われ片《かた》をかにたえす共《とも》哉《がな》

相模は目をつむると普賢が現れた。金色に輝いていた。
「霊の目で眺めなさい。霊の目で考えることです」
そばでほほえみながら、衣の袖を動かしていた。相模は驚いて目を覚ました。辺りには何もなく、遠くに鈴虫の声が聞こえるばかりだった。相模は歌を書きつけた。

人しれぬ胸のおもひのさめたらは
あはれを注《そそ》く雨とたのまん

菩薩の教えに従うことにします。いろいろの難事が予想されます。人に知られることのない情熱が冷めたならば、どうか慈しみの心で見守ってください。

次の日、相模は顕信にすべてを話した。東国での生活、普賢との出会い、そして昨日の普賢の言葉。顕信は目を大きく開いたまま、まんじりともせず相模の話を聞いていた。聞きながら顕信は涙を流していた。七時間も続いた相模の話を聞き終わると、顕信は何も言わずに帰っていった。その時に詠んだ歌。

思ひわひ思ひしことのしるしあらは
わかきみ佛《ほとけ》いつか忘れん

仏を思い自分の心の寂しさを思ううちに出会う験《しるし》があれば顕信よ、どうして人は仏を忘れることができようか。

顕信は次の日もやってきた。相模の言うことを全部本当だと思う。できることならば今すぐに普賢菩薩に会いたいと言う。必死に会いたいと願うが現れないと嘆く。そこで相模は歌を詠んだ。

ひたみちに思ひ入《いり》にし方《かた》なれと
惑《まど》はさるへきしるへをそ待《まつ》

ただひたすら仏を思うのは結構なことです。やがて顕信が迷わないですむ験《しるし》が現れますから、あせらないで待っていらっしゃい。

顕信は納得したのか帰っていった。次の日もまた次の日もやってきた。仏に会えないと嘆いている。少し異常な気がして相模は顕信を慰めた。

かすことに思《おもい》をわけていふとても
猶《なお》やそ島の松はつきなん

顕信よ。私に力があるものなら貸してあげます。けれどもいつ、その霊験が現れるのか私にもわかりません。気を長くして待っていらっしゃい。

何日かたったある日、顕信は飛ぶようにやってきた。昨晩、菩薩の夢を見たのだという。金色の光に包まれてやってきて「叡山《えいざん》に登って受戒《じゅかい》せよ」と言ったという。顕信は早速《さっそく》、父道長に伝えた。相模は事の次第に驚いたものの予期していたことだから顕信に祝いの言葉をかけた。祝いながらも顕信と別れることになるのはつらかった。顕信は革聖《かわのひじり》こと行円《ぎょうえん》のもとに行き、出家を願い出た。

思ふにも叶《かな》わぬ世とは知り乍《なが》ら
猶《なお》歎《なげ》かる、身をいかにせん

藤原道長邸では顕信の出家の話で大騒動だった。道長はすべての子供に地位を保証しようとした。側室の子には正室よりも低いがなにがしかの地位を分け与えていた。顕信が出家したと知れば、民衆は道長が側室を差別したから出家したととるだろう。何とかこれを止めたいと思った。道長は再度顕信の真意をただした。顕信の決心は固いようだった。いったい誰がこんなことを吹きこんだのだ。道長は怒って側近に調べさせた。ほどなく相模が犯人だとわかった。側近達は口々にあらぬ事を道長に告げた。時々西寺《さいじ》に行っては普賢菩薩を拝んでいること、歌合には出るものの人づきあいもせず、物狂い相模と呼ばれていること。子供が欲しいと歌によく詠んでいること等々であった。道長は烈火《れっか》の如《ごと》く怒った。しかし正当な理由もなく内親王に仕える女房を追い出すことは口さがない京の人が何と言うかわからない。どうしたものかと考えた。側近の者達は相模を呼んで話を聞こうと言った。相模は病で伏せっているとのことだった。宮中では相模が顕信の子を宿したのではないかとの噂が流れた。

そこで道長は相模の処分を息子の藤原頼通《ふじわらのよりみち》に頼んだ。頼通はなかなかの権謀家《けんぼうか》だった。当時、頼通は宇治の平等院鳳凰堂《びょうどういんほうおうどう》を造ろうと夢中になっていたから、父の頼みもそれにかこつけてやればよいと考えた。まだ鳳凰堂は図面を引いているところだったので、しばらく時間が欲しいと頼通は手紙を書いた。父はそれを許した。

一方相模はそんなこととはつゆ知らず、伏しながら顕信の出家する噂を聞いた。

いひ出て心の中にくたくれは
みつを結ひていしやうつらむ

「水を結びて石を打つ」という諺《ことわざ》どおり、私の言葉など心の中で砕けてしまい、何のかいもないことでしょう。それでも何かの効果があるのでしょうか。

相模は本当に人を出家させるような確とした心などあったのかと考えるのだった。

床に伏しながら空をぼんやり眺めていた。昔、東国で月の光を見て落ちついた気持ちになったように、また同じ心境になりたいと思った。

月影を心の中にまつほとは
うはの空なるなかめをそする

じっと考えていると顕信が叡山に登り受戒している様子が浮かんだ。仏に帰依《きえ》してもう一生会えないのだと考えると涙が流れた。

みちのくのそてのわたりの涙川《なみだがわ》
心の中になかれてそすむ

顕信の潑剌《はつらつ》とした顔が浮かんだ。またあの一途《いちず》な顔を見たいと思った。

しき浪《なみ》はたちとまる共《とも》ふきこなん
心の中にまつかうらしま

激しい情熱を持つ顕信よ。その情熱を持って立ち止まることなく人の心に仏の声を吹きこんでいってください。私はそれを心の中で待っています。

相模がそんなことを思い涙を流していると普賢の声が響いた。

「憐《あわ》れびの心こそ、まことの心です」

ふと、その声が一条帝に似ている気がした。今まで考えたことがないと思った。

あはれひをあらはすとみはなにことか
心の中に思ひしもせん

翌日になると相模の体は軽くなり、歩けるようになった。相模はまた西寺の普賢菩薩に会いに行った。雑草の生《お》い茂る中に一体の菩薩は静かに座していた。相模はその前に立つとあらゆる執着が一度にとれるような気がした。木像は心に現れる普賢菩薩と同じ姿をしていた。相模はその前に長い間座っていた。

しばらく平穏な日が続いた。頼通はまだ鳳凰堂の建立《こんりゅう》に熱心だったから、相模の罪を問う件を忘れていた。顕信の受戒《じゅかい》は道長自ら叡山に登って行なわれた。相模の夢には顕信の元気な姿が現れた。顕信は深紅《しんく》の衵《あこめ》を着ていた。日焼けした顔をほころばせ相模に礼を言った。出家して心から満足していると述べた。相模はその時の気持ちを歌にした。

憂事《うきこと》をちかふる夢のみえたらば
ねても醒《さ》めても嬉しと思はん

顕信の元気でいることを知ってうれしくてなりません。つらいことが良い方向に変わる仏の慈悲が現れたようです。

●藤原公任《ふじわらのきんとう》との出会い

当時、相模は定頼の父、藤原公任とも交流があった。公任邸で歌合を手伝って以来のつき合いだった。ある歌合の折、相模はちょっと皮肉を言った。

「二人目の夫人《ぶにん》の所から来たというのは本当ですか」

公任は相模の言うとおりではあったが、これを認めては沽券《こけん》にかかわるとばかり、歌を詠んだ。

待つ程《ほど》の袖たにうきをなにとてか
思ひもよらぬ濡《ぬれ》衣《ぎぬ》をきん

愛妻といることをいつも心待ちにしている自分なのに、別の夫人の所から来るなどというのは濡《ぬ》れ衣《ぎぬ》もいいところだ。

そんなことを言う相模こそ得意な恋の歌を二つ詠んでください。

かまと山筑《つく》しかしまともすれば
もゆるしくるし心つくしに

公任の夫人は筑紫《つくし》の国出身の女であった。相模は機転《きてん》をきかし「普通の人だったら夫人の心尽くしに燃ゆる思いを持つ反面、感謝の気持ちで心苦しく思うものですよ。その心尽くしが精いっぱいのものであるとわかればわかるほど」と歌った。さらに、

つきもせす恋に涙をわかす哉《かな》
こやなヽくりのいてゆなる覧《らん》

「夫人の恋は涙をわかすいで湯なんですよ。どんなに苦しい思いか公任さん、知っていますか」と尋ねた。

この機知溢れる相模の応答ぶりに、すっかり公任は相模を気に入ってしまった。すぐに公任から歌が送られてきた。

東路《あずまじ》のたまのわたりは玉敷《たましき》の
かたはしにたにあらしとそ思《おもう》

「公資との東国への下向《げこう》はあなたにとっては嵐であったでしょうが、玉敷のかたはしのように美しい思い出にすぎません。離別を気にしないで生きていってください」と思いやりをみせている。

相模もこの身分が高く歌に才のある公任を好きになった。時々相模のもとを訪ねるようになったが、しばらく途絶えた後、公任から別れの手紙がきた。

いひ出てもいはて絶るもよそ乍《なが》ら
見えてそみつる人の心を

結婚しないで女性とつきあった後、話をして別れる場合もあれば、何も言わずに別れるときもある。しかしあなたとの間は本当に楽しかったので、はっきりと別れの言葉を言うことができます。

三　定頼《さだより》との恋愛

●定頼との再会

このころ、相模は体調を崩し三条宮を離れて養生《ようじょう》をしていた。公資から相模の態度が気に入らないと内親王あてに手紙がきた。公資は自分を忘れ、勝手に里に帰って養生するなどは妻の取る態度ではないと言ってきた。これは建て前で、本音は自ら離れていく相模に心の中で強い反発を感じていたらしい。

相模は丁寧に返事をしている。

ひとりまつ君ならね共《ども》うきことを
きくはわれのみ歎《なげ》かしき哉《かな》

一人して人を待つ思いはあなたと同じです。あなたの寂しさを聞くにつけても、心の底の寂しいと思う気持ちを知っているのは私だけだと思っています。

相模はこの、公資のいいがかりのような内親王あての手紙に対して、その寂しさを見抜き公資を責めることはしなかった。つらい中で少しずつ相模は成長していった。

相模が京に戻ってからしばらくたったころ、偶然賀茂の祭りで定頼と再会した。お互いに歌が好きで手紙のやりとりをしていたので、久し振りに会っても緊張することはなかった。定頼も時がたって今は貫禄《かんろく》のある丈夫《ますらお》になっていた。

相模が声をかけた。

定頼はじっと相模を見返した。「お変わりないのですね。またお逢いしたいものです」と言って会釈した。

しばらくして定頼から逢いたいと言って手紙がきた。そのころ、相模は体調を崩しがちだったが少し良くなったので、逢ってみる気になった。

出世した定頼は権中納言になり、相模に逢えてとても喜んだ。相模は歌の話をし、定頼も歌にかける情熱を話した。心が通った相模は満足した気持ちになった。

定頼から手紙が届いた。

から國《くに》のみかともかくや嘆きけん
わかれの後の恋の侘《わび》しき

相模と離れるのはまるで遠い唐国の帝が妃を失って嘆くように淋しいことですよ。
相模は漢詩文をひいて返事をした。

まほろしの雲のいはとをたゝき剱《けん》
夕《ゆうべ》の空におとりやはせし

長恨歌《ちょうごんか》の中の亡《な》き楊貴妃《ようきひ》の魂《たましい》をたずねた玄宗皇帝《げんそうこうてい》の使者が雲の扉《とびら》を叩《たた》く故事《こじ》をひいて、淋しさは夕べの空に劣りますかと尋ねた。定頼は相模の歌の巧みさに、感心した。
相模は病気も癒《い》え、内親王邸に戻った。相模は病気を経てから落ちつきを増し、邸内の若い使用人から相談されることがあった。その使用人は相模よりも身分の上の女の人に懸想《けそう》し自分の書いた恋文を渡してほしいと頼んできた。相模はもともと身分の上下など気にしなかったので、恋の仲介役を買って出た。かの女《おんな》の人を訪ねると既に恋人がいて使用人の男のことなど眼中にないと相模に言うので、相模は歌を書いて彼女の気持ちを使用人に知らせた。

みなれきにしほやくあまのほとよりは
煙の高き物を社思《こそ》へ

そばにいて見慣れている使用人よりも彼女は手の届かない身分の高い人を思っているのです。その使用人はどうしても彼女のことが忘れられないという。恋の思いに理解を寄せる相模は歌を詠んだ。

いひ出てはやかてなき名になりぬ共《とも》
忍ひはつへき心地《ここち》こそせぬ

恋しい思いを伝えた後、人の噂話《うわさばなし》にのぼってしまっても、それでもいいではありませんか。恋い慕う気持ちこそが大事なのですから。

若い使用人は大いに勇気づけられたものの、さて手紙を渡そうとすると、「噂話になりぬとも」の言葉におじ気づき、手紙を渡せなかった。しかし、相模はこの若者を笑いはしなかった。相模にもこのつらさがよくわかったからである。

●定頼の求婚

このころ、相模は定頼と何度も逢っていた。

定頼は鮮やかな青色の、綾織《あやおり》の束帯《そくたい》をよく着けていた。この綾織の束帯は定頼によく似合い、綾織の定頼と評判をとったほどだった。それは定頼の文官としての手腕を評価したものだった。

相模はこの定頼とつきあうのに、妻子ある人ということで気にしていた。

ふみ繁み綾《あや》におりたつ糸により
こちくるとはた思はさら南《なん》

手紙を何回もやりとりし定頼への思いがつのり、公資《きんすけ》とのことは忘れていくことです。
ところが定頼は出世して得意の絶頂にあったから、相模の心を傷つける返事をした。

いつくにかよるらんとのみ白糸の
あやしかりけるふし処哉《どころかな》

どうぞ私の所を頼っていらっしゃい。あなたの住んでいる場所はあなたにふさわしい所ではないのです。

相模はこの手紙に腹を立てた。

わくらはにまねくるふしや絶なまし
いとあやまちの繁くみゆれは

どうせ私は身分の低い年老いた女です。あやまちの多い私達のつきあいをやめようと決めて、どうぞ私を誘わないでください。

定頼の家は内親王邸よりも南にあった。相模は定頼に自分を誘うなと言いつつも、どうしても逢いたくなり定頼邸を訪ねていった。当時、女の人が自ら男の家を訪ねるのは異例のことだった。使者をやるのが通常であったから、相模は非常な勇気を要した。

定頼の家がどこにあるのかよくわからなかった。内親王には内緒で来たが、うまくいくか不安であった。中垣で隔ててある中に入ってみると、果たして定頼の家であることがわかった。ところが定頼は相模が自ら訪ねてきたことに驚き、相模とのつきあいが皆に知れるのを恐れてことさら他人のような態度をとり、相模に会わなかった。

直接定頼と会えず真意を伝えることができなかったので、帰る折、何か良い方法はないかと思うと隣に小さな家があったのでそこに寄った。中からさっぱりとした態度の青年が現れた。相模は定頼に手紙を渡してほしいと頼むと、青年は快く引き受けてくれた。その時の歌。

いつとなくなみやこす覧《らん》すゑ《え》の松
まかきのしまに心せよ君

定頼、いつまでも私の心は不変ではありません。つれない態度をとると私も心変わりしてしまいます。隣の青年はとても親切でした。この人を好きになってしまうかもしれませんよ。

相模は精いっぱい定頼の心をひこうとした。しかし定頼は相模のこの気持ちを理解できなかった。

誰もその同し波にしかけくれは
たけくまならぬ松と社《こそ》みれ

女の人は皆、浮気心を持って私に好意を寄せてくれます。相模も同じように私を待っているのではないのですか。

相模はこの返事を貰うと激怒した。勇気を持って訪ね、自分の精いっぱいの気持ちを伝えようとしたのに、定頼は相模の気持ちに気づくどころか、ただの浮気心と冷たく言い放った。相模は書いた。

思ひたにかけぬもの哉《かな》なみ〳〵に
いはるへしとは高《たか》砂《さご》の松

私のことをそのへんの女の人と同じに言われるとは思いもよりませんでした。私は自分のことを今でも高砂の松のように尊いものと考えています。

定頼はこの相模の怒りぶりに初めて気がつき、機嫌《きげん》をとりなすために手紙を送った。

高砂《たかさご》と思ふへしやはあた波の
よな〳〵よする汀《みぎわ》はかりを

相模よ、どうぞ自分のことを高貴なものと思っていてください。私のところに思いを寄せる女達はつまらない者達ばかりなのですから。

これを聞いて相模は少し気持ちを和らげたもののなぜか気分がしっくりせず、また定頼に書き送った。

白波のかけおりてのみ年ふるは
みな住吉の松にやあるらん

あなたのところに思いを寄せて年を経る人達は、決してつまらない人達ではありません。皆、高砂、住吉の相生の松のように仲良くおつきあいしたいと思っているはずです。

実際のところ、定頼はこのころ、よく女の人にもてたらしい。相模は何とかして定頼に逢いたいと思ったが、もともと定頼は相模の所に来るべき身分ではなかったから、相模は知恵を働かせて、叔父の慶滋為政の使用人であると偽って定頼に逢おうとした。しかし定頼の使用人に物乞いの人と見られて追い返されてしまっていた。

相模は大層腹をたてて、そのことを書いた手紙を送った。一日たった後、定頼から返事がきた。

露《つゆ》やいかにおける物にもかゝり劔《けん》
機《はた》織《おり》めさへ咎《とが》むはかりに

使用人達は無知な故に高貴な相模とは知らずに追い返してしまいました。その非礼をお許しください。

相模はそれではと、隣の家の青年に頼んで手紙を渡してもらおうと思った。ただ定頼が相模とつきあっていることの世間体を非常に気にしているのを思いやって、あたかも他人が書いた手紙であるかのようにみせて、いろいろ雑事を書いた手紙の後ろの空いた部分に歌を書いた。

さま〳〵になにへたつ覧《らん》北《きた》の方《かた》
今はあれゆく南《みなみ》はかりを

定頼よ、何に気を使って私と逢うことを避けているのですか。私の気持ちはあなたのつれない態度をみているうちに穏やかではなくなってくるのです。

すると定頼から、歌が届いた。

我は西君は南といふめれと
あれにしきたのきたのかたにて

私は相模が思うほど隔てのある気持ちではないと思うのに、なぜそんなに怒った気持ちでいるのですか。あなたと私では違ったことを言っている。あなたは荒れているのです。

これでも定頼は相模の気持ちを納得させることができないと思ったのか、極めて激しい内容の手紙を送ってきた。

南よりにしにはゆかむさりかたき
君社《こそ》なかの北のかたなれ

私は相模のことが忘れられなく思っています。相模こそ私の妻となってください。

相模の歌はこれ以上語らない。相模は定頼の妻にはならなかった。相模の誇りが許さなかったのか、本当の愛情があると思えなかったのか。公資との生活で相模は傷つきすぎていた。

●定頼邸での歌遊び

しばらくたって定頼から手紙がきた。歌遊びをしようとの内容だった。歌遊びとは大勢の人の中で歌を詠じあうのである。相模は他人の歌を聞きたい気持ちがあった。しかし、それ以上に自分の創造する力を試したい思いがあった。そこで定頼邸に足を運んだ。歌遊びは見ている人には面白いものの、機微《きび》にふれる歌を即興《そっきょう》で作るので、時に厳しい評価が下されることを覚悟しなくてはならない。まず定頼が下の句を作って詠じた。

　ねまちの月をふしてみるかな

ねまちの月はふし待ちの月ともいうが、陰暦《いんれき》十九日の晩の月のことである。伏して待つ月を寝ながら見ていると歌いながら相模の心を尋ねている。

相模としては、一人伏して淋しい思いをしていると応えて逃げるのは簡単だが、そうは言わない。

　いさよひもたちまちにやはいつるとて
　（ねまちの月をふしてみるかな）

十六夜《いざよい》の月とは、ここではためらう恋心のことだ。「定頼への恋心にためらいはなく、定頼邸へやってきました」。そう言って皆の関心にうまく応えている。内親王に仕える相模が定頼の所へ行くことはそれだけで噂話《うわさばなし》の種であったから、この歌は当時の人からやんやの喝采《かっさい》を受けたと想像される。この喝采を聞いて定頼は相模を調子づかせてはいけないと考え、もう一つ難問を出した。

九月の一日、人に手紙を出したとする。夜、大変遅い時間に遠くの方でかすかに雁《かり》が鳴いて渡っていくのを聞いた。放っておいてもいいのだが、あの声を聞きなさいという人がいるので詠んだ。

心そらなる旅のかりかな

定頼は相模の恋心を心の中で警戒していた。自分の身分に影響を与えはしまいかと。たまたまそばの人に集中していないと見咎められた。そこで歌を詠じた。「私は、心はうわの空で旅をつづけている雁ですよ」

定頼は巧みに相模のことを思ってうわの空だとも、思わないで仕事に夢中になっているからうわの空だともとれる歌を出して相模の心を尋ねている。皆の注目の中で相模は考えた。これしきのことで挫ける相模ではなかった。自分は知性の人と自負していたのである。

しかし自分の心を素直に歌いあげると定頼を傷つけるおそれがある。どうしようかと考えた。まずは無難に答えようと筆をとった。

一聲《ひとこえ》もきかぬねさめはなけれとも
（心そらなる旅のかりかな）

いつも定頼のことを思いながら寝ていて、そのかすかな雁の鳴き声を聞かない日はありません。これは定頼が仕事に没頭しているという意味にもとれるので無難にも思えた。しかしこのように自分だけが相手のことを思い、相手はそれを知らない態度だというのはどうみても衡平《こうへい》を欠く。まして男と女は恋の前に平等なはずと持ち前の反発心が湧いてきた。「やめた、こんな歌」とつぶやくと別の歌を書いた。

めつらしき聲《こえ》ときけともさ夜なかに
（心そらなる旅のかりかな）

珍しい雁の声だ、こんな夜中に。一見すると何でもないような歌だが、実は定頼が自分への思いを口に出すのはとても珍しいことだと言って巧妙に定頼の問いに切り返している。さすがの定頼も脱帽したものの、そこは太政官《だじょうかん》としての面子《めんつ》もあったのでもう一つ下の句を作った。

かべちかくなくきり〳〵すかな

壁の近くで鳴くこおろぎだ。家の近くでこおろぎが鳴いているのを聞いて、定頼は少し微妙な問題から遠ざかって自然描写の歌で無難にしめくくろうと考えた。上《かみ》の句《く》に秋の寂しい気分など歌ってくれればいいのだが、と定頼は思っていた。

相模はこの歌を見ると、定頼の意図《いと》を見抜いたが自分の心を曲げて歌うことはできなかった。相模は庭におりた。

夢にてもぬることかたき秋のよに
（かべちかくなくきり〲すかな）

物思いにふけっていてなかなか眠れない秋の夜にという意味だが、実は定頼のことを思って眠れない夜に私はあなたのそばで鳴いているこおろぎのように、そばにいて必死に愛を求めて訴えかけているのですよ、と歌った。
さらにもう一つ上の句を作った。

いと、しくおきふすことの露けきに
（かべちかくなくきり〲すかな）

寝たり起きたりしていると、ますますあなたのことが思われ涙が出てくることです。その私はあたかもあなたのそばで鳴くこおろぎです。近くにいるのに一緒にいられないこおろぎ。ただ美しい歌を聞かせるだけのこおろぎなのです。
相模がその切ない気持ちをあまりに巧みに歌い、皆の拍手を受けるので、定頼はこの歌遊びをやめてしまった。

歌遊びがおわり、相模は定頼の館を離れた。定頼への思いが募った。孤独を感じた。

しばらくして、定頼は客人と一緒に紅葉を見に山寺へ行き、人がいないのでたくさんの紅葉を取ったと言ってきた。相模は風流に浸っている定頼に皮肉をこめて歌を送った。

君くへき折《おり》としりせは故里《ふるさと》の
紅葉《もみじ》をのみそみるへかりなる

客と一緒に紅葉を折る暇があるのなら、なぜ私に逢いに来ないのですか。

定頼は相模の積極的な愛の告白にいささかうんざりしたのか、返事を送らなかった。そこで十二月一日ごろ、たいそう色の鮮やかな紅葉があったので相模は手紙に同封した。

その時の歌。

みる人もなき我宿《わがやど》の紅葉《もみじ》は、
凪たにしらぬ物にそありける

誰も振り返ってくれない。凪さえも私のそばを知らん顔で吹き抜けてゆくばかりだ。

定頼から返事が届いた。

吹風《ふくかぜ》ものとけき宿のしるしにや
紅葉なからもときはなる覧《らん》

相模は私と違って、文官としての仕事がなく暇だからそんなのんびりしたことを言っているのだ。私は忙しいのだ。しかし、相模への気持ちが変わったわけではないのだ。
そう返事があったきり、しばらく音信がなかった。

相模は女中達と亭子院《ていじのいん》という所に仏教の説法《せっぽう》を聞きに行った。高名《こうめい》な僧ばかりだったので、たくさんの人が集まった。その中に見覚えのある定頼の家の紋章が付いた牛車が止まっていた。そこで相模は歌を書いて、使いの者に託した。

九重の雲路にかよふ玉章《たまずさ》は
かけてまつこそひさしかりけれ

私達の心は離れ離れになってしまいましたね。手紙を書いて待つけれど、あなたは私に気がつきません。仏教の説法を聞いて逢ったのは何かの縁だと思うのですが。

行末《ゆくすえ》もかけはなれしなのりの道
めくりあひぬるみつの車は

定頼は相模の歌を見たが、返事をしなかった。相模は悲しい思いで内親王邸に帰った。ひどく疲れ果てた気持ちだった。

●別離　――定頼との別れ――

七月八日、あわただしく定頼は三条宮に来て別れの辞をのべた。定頼は相模に逢うと静かに話した。

「自分の寂しい気持ちをいとおしむ侘歌《わびうた》こそまことの恋歌です。あなたはそれを書いてください」

相模には定頼の話がわからなかった。

定頼には相模に言えない悩みがあった。定頼は源済政《みなもとのなりまさ》の女《むすめ》と結婚し、舅《しゅうと》、源済政の家に妻子がいた。舅との関係が悪くなり、妻子を置いて父公任の住む四条宮にいた。

四条宮と相模の住む三条宮とは近かったが、この館は火事があって焼け残ったことから、残った住居では父子がやっと住める広さしかなかった。

妻子ある定頼と女房の相模が浮名《うきな》を流すのを定頼の父、公任は心配していた。当時、定頼は道長から仕事を懈怠《けたい》すると嫌われていた。また、道長の属する家系と公任、定頼の属する家系とはライバルであったので、定頼が道長の子、顕信の出家を勧めた女性とつきあうのを父、公任は好ましくないと考えた。そこで公任は定頼に相模と別れるように命じた。定頼は父の命令に背《そむ》く気概《きがい》はなかったので、この事情を相模に告げなかった。定頼はただ別れの言葉を述べるだけだった。

相模はひたすら定頼の姿を心に留めようとした。悲しくてならなかった。定頼に心の底から愛情を覚えながら逢瀬《おうせ》を楽しむ機会もなく去っていく姿を見て、相模はどうしてよいかわからなかった。

相模は歌を書いた。

かへさすはかさまし物《もの》を七夕《たなばた》に
あひてもあはぬのちの心を

あなたの心を変えることができるならば変えてみせるのに。別れると決めた定頼の心を何とか変えられればいいのに。

相模の心は悲痛だった。

しばらくして定頼からは返歌がきた。

七夕《たなばた》にゆかしきほとの逢事《あうこと》は
まつも返すも物をこそ思へ

七夕の故事《こじ》のように逢いたい気持ちは、待つ時も、実際に逢った後も悩み多いものです。相模への思慕と別れのつらさとの葛藤《かっとう》を相模に伝えようとした。相模にはわからなかった。心の苦闘を歌に表した。

たなはたの糸にかけても苦しきは
心のうちのみたれなりけり

七夕の織姫の織る糸にたとえても苦しいのは、心のうちであなたを思い、乱れている私の気持ちなのです。

しばらく相模は定頼のことが頭から離れなかった。悲しみのあまり、食べることも寝ることもできなかった。相模を置いて別れていく定頼が不実な人間に思えた。自分の愛情を知りながら去っていくのは酷い裏切りに思えた。気が晴れず滅入《めい》った気持ちでいた。

定頼への手紙に「死にたい、自分はもうどうでもいいものだ」と書いた。そして歌にその気持ちをこめた。

さがみにはあり共《とも》いはす富士の山
烟も浪《なみ》もなににかく覧《らん》

私は富士のある駿河《するが》の国にはおりません。あなたの私への思いは、これからどうやって伝えることができるのでしょうか。あなたが思っていると言ってくれても何の慰めにもなりません。あなたはそばにいないのです。あなたは私を置いて遠い所へ行ってしまいました。

定頼からはすぐに返事がきた。

いつことも思ひそわかぬ富士の山
みを離れたる烟ならねは

煙にならなければ、どこで私達の思いを分けるのかわかりません。しかし私は現実の身で煙ではないのです。あなたへの変わらぬ思いを持っています。

一条帝が皇后定子を思い泣いた晩のことが思い出された。定頼の顔に一条帝の笑顔が重なってみえた。

また同じころ、定頼から歌が届いた。

うつつとも夢ともなくて明《あけ》にける
けさの思ひは誰まさるらん

現実とも夢ともつかず、あなたに逢った夢を見て目を覚ましたことです。今のあなたへのこの思いは、誰にも負けないものです。
相模は定頼の文を見ても何の慰めにもならなかった。去って行く定頼が恨めしくてならなかった。

みぬ夢もあらぬうつゝもおしなへて
くたすや袖の涙なるらん

定頼と別れて暮らす自分の望まぬ現実も、見たくても見ない夢も、すべてひっくるめて流してしまうのは、袖にかかる涙なのです。現実は面白くありません。あなたへの夢も見たくても見ません。ただ涙だけは流れてくるのです。
当時の相模の歌には、悲しみを秘めたものが多くある。

きのうけふ欺《なげ》く計《ばかり》の心地《ここち》をは
あすに我身《わがみ》やあはしとすらん

昨日今日とずっと嘆き続けている私の気持ちは、明日には私の体に合わないものとなり、はかない身となってしまうことでしょう。

なをさりにきて帰るらん人よりは
をくる心や道に惑《まど》はん

かりそめに訪ね来て帰っていった定頼より、それを見送る私の心の方がいかに道に迷っていたか知っていますか。

相模は恨めしい気持ちでいっぱいだった。定頼は別れていき、もう私のことなど顧みなくなると感じた。相模は定頼のことを忘れようと思った。定頼のことを考えると苦しくてならなかった。「心のしんとする侘歌を作ってください」と話した定頼のことを忘れよう。自分の思いのままに生きよう。相模は淋しさを紛《まぎ》らすために歌を作った。恨みの歌ばかりだった。

いかにして忘るゝことを習《ならい》けん
とはぬ人にやとひて知らまし

私に教えを説いた人は、どのようにして忘れることを習ったのでしょう。忘れることをもう訪れない定頼にたずねて知ろうかしら。

四　昆陽《こんよう》の歌

そのころ、『伊勢物語』を吟じる津の国出身の昆陽入道《こんようにゅうどう》という者がいた。戸口を巡っては歌を詠ずるのを生業《なりわい》としていた。

内親王邸の前を通る人の声がした。相模は何とか声を聞きたいと思ったが、内親王から頼まれた仕事があって手が離せない。しかたがないのでそばの女中を遣わせて、会いたいのだが会えないと伝えると、入道は歌を書いてきた。

なには人急がぬ旅の道ならん
こやと計《ばかり》もいひもしてまし

先を急ぐ私ではありません。私のことを必要と考えるならば、「昆陽、これ」と言ってくだされ
ばそれでいいのです。私は待っておりますから。

仕事を済ませて相模は門の所に出た。昆陽は門の前の石に腰を降ろしていた。その姿を見て相模ははっとした。あの能因だった。箱根で会って以来だった。麻の衣を着て、袖は鼠《ねずみ》にでも食われたのか大きく破れていた。能因はゆっくりと立ち上がり、よく通る声で『伊勢物語』を歌った。

在原業平《ありわらのなりひら》とその母とのやりとりの場面である。

老いぬればさらぬ別れもありといへば
いよいよ見まくほしき君かな
（古今和歌集《こきんわかしゅう》）

年をとると避けられない別れがあるという、それがわかればわかるほど切なくなって会いたい気持ちが増すものですよ。

世の中にさらぬ別れもなくもがな
千代もと嘆く人の子のため
（古今和歌集）

そんな悲しい別れがなければよいと思います。神仏の子ではない人の子のために、千年も関係が続いてほしいと願うのです。

相模は童女御覧《わらわごらん》で一条帝を最初に見た時と同じ軽い陶酔《とうすい》を覚えた。永遠なものが能因の中にあると感じた。相模は震える心を抑えながら、その歌を聞いていた。なぜか心が落ちついてくる。自分の心が今までとは違ったものに変わっていくのを感じた。相模は能因と話がしたかった。自分が忘れていた侘歌《わびうた》への情熱を話したかった。

能因は相模の置かれた状況を理解した。公資《きんすけ》とはうまくいっていないこと、定頼と別れたこと、侘歌を作ろうとしていることなど。能因は古歌で歌われる名所の歌枕《うたまくら》を訪ねて、歌枕集を完成させようとしていた。やがて相模と共にそのころ活躍した歌人集団の和歌六人党《ろくにんとう》を指導し、多くの歌に影響を与えることになる。

脩子内親《しゅうしないしん》王《のう》のことは巧みに相模集に隠されている。能因との歌のあとに置かれている。脩子内親王と相模のやりとりは、話の流れからするといかにも唐突《とうとつ》だが、相模集の作者の工夫を尊重して、あえてここに記すことにする。

五　脩子内親王《しゅうしないしんのう》についての歌

ぬきかふる袖をつたへてふちころも
みるも涙のたよりなりけり

一条帝が亡くなってから脩子内親王《しゅうしないしんのう》は喪《も》に服《ふく》していた。内親王のゆかたの袖が破れている。相模はゆかたの破れを縫い直した。破れてしまったその袖を見ると、亡き一条帝が脩子内親王を思う気持ちが思い出されて涙がこぼれることだ。相模は一条帝が娘の成長を楽しみにして脩子内親王のそばにやってきた姿を思い出した。

藤衣《ふじごろも》ぬく人ましていかならん
おひをとくたに袖はぬれけり

喪が明けるというので、脩子内親王は河原《かわら》にお祓《はら》いに行くことになった。自分も喪服の帯をお祓いに出すのだが、父親を亡くした脩子内親王はどれほど悲しいことかと相模は思いやった。

Ⅲ　侘歌《わびうた》を作る

一　朝日山に登れ

相模は普賢《ふげん》と心の中で頻繁《ひんぱん》に話すことができた。普賢は魂が永遠にうち続くと説いていた。相模が諸事を一喜一憂《いっきいちゆう》する度に永遠の目を持って眺めるようにと話した。ある時、相模は公資《きんすけ》のことを考え、部屋に引きこもっていた。夢うつつの中に普賢が現れて言った。

「朝日山に登れ」

相模は答えた。「朝日山に一人で登るなんて無理です」

若いころ、よく箱根権現に登ったが、今、一人で山城の朝日山に登る気になれなかった。すると、また普賢の声がした。

「とく、登らん」

すぐに登れと言う。内心、反発しながらも出立《しゅったつ》の用意をした。

女房達は、また相模の奇矯《ききょう》な振る舞いが始まったと呆《あき》れ顔でいた。行く先も告げず、しばらく出かける旨の許しをもらい、翌朝、朝日山に向かって出発した。宇治川のほとりにあるこの山のどこから登ったものかと思いあぐねていると、「西ざまから登れ」と言葉が響いた。全く難儀《なんぎ》なことだと思いながらも、相模はその山の西から登っていった。青草に包まれた朝日山は、意外に楽に登ることができた。頂上から京の都がよく見えた。今まで心で悩んでいたものはみな遠くに見え、悩みはみな都の中にあると考えた。

都にてさひはひくれはあさひ山
にしさまにとく昇りにし哉《かな》

肌に当たる風は快く、汗ばんだ体に爽《さわ》やかだった。腰を下ろして、ふと近くを見ると東国で見覚えのある草があった。稲であった。あの時はこの草を幸いある草と思った。人けのない山の頂に生えているのを見て不思議な気持ちになり、稲を摘んだ。

さきのよに種《たね》うへをかぬ身なれ共《ども》
猶《なお》つみゝてんとみ草の花

前世で富草の種を植えておかなかった我が身です。また後の世に自分の思いを託す人はいません。世の中にとって、とるに足らない人間に思えます。今、普賢の導きでこの朝日山に登り、小さな草を眺めていると、自分も幸せを求めて生きてきたのだと思えます。そして、この小さな草のように人に幸せを与えて生きていきたいのです。

突然、朝日山の頂に陽の光が当たった。金色の光に包まれた大きな如来《にょらい》の姿が浮かんだ。相模は畏《おそ》れ多く思い、頭《こうべ》を垂《た》れて南無阿弥陀仏《なむあみだぶつ》を唱えた。如来は何も言わずに相模の姿を見ていた。相模は感極《きわ》まって泣き出してしまった。如来のそばに普賢の姿があった。ほほえみをたたえながら、衣の袖をゆっくりと動かした。如来は少し笑っているように思えた。

しばらくして、如来と普賢の姿が消えた。相模は不思議に思った。いつも苦しい時に神仏に会いたい、神仏に願いをかなえてほしいと祈っていたのに、そのようなときには神仏に会うことができなかった。それなのに夫と疎遠になり恋人とも別れ、子供もいない希望の失せた今、仏が現れるのはいったいどうしたことだろうと考えた。相模の心には仏と神の区別はなかった。

とくもとくめにみすみすもみせよ迚《とて》
祈《いのり》しそかしすへらきの神《かみ》

早く早く、はっきりとその姿を見せてほしいと天の下を統《す》べる神に祈りました。

山の頂にいるうちに、はや夕方となってしまった。相模はどうしたものかと考えた。登るときには、そのことに夢中で、帰ることを忘れていた。道も暗くなると覚つかない。すると不思議なことだが、暗い中に見慣れた普賢の姿が現れた。金色に輝いて相模の歩く少し前を、相模の方に向きながら衣の袖で手招いている。相模は勇気が湧いて足も軽く山を下りていった。

内親王邸では予定の日になっても相模が帰ってこないので、皆でどうしたのかと話し合っていた。誰も姿を見ていないという。相模がよく行く西寺の僧までかり出されて、相模がどこへ行ったのかと尋ねられた。僧は知るよしもないと答える。八方に人を頼んで捜したがわからない。相模が帰らないと大騒ぎしていたところ、ひょっこり相模が姿を現した。あまりに突然だったので、みな不思議がった。

九重《ここのえ》のやそうち人も人しれす
とへと思ふはわきてさりける

皆、相模がどこへ行ったのか知らない。訪ねようと思ったが、天狗《てんぐ》の如く空を飛んで行ってしまったのではないかと思われた。湧き出るように突然現れて去ったので人々は驚いた。

年が明けて、宮中から、日の出の歌を作ってほしいと内親王邸に知らせがあった。内親王は相模を頼りにしていたので相談すると、相模はすぐに一首歌を書いた。

呉竹《くれたけ》に嬉《うれ》しき節《ふし》をそへたらは
まつもこちくの聲《こえ》をきかせん

呉竹に喜ばしい節をつけて吹いたならば、松も胡竹《こちく》の調べを聞くことができるでしょう。
この歌は女房達を呉竹に、松を宮廷の人になぞらえて詠《よ》んだ。日ごろ、女房達は歌が上手だと言われながらも、心から敬《うやま》われていないことを感じていた。もし、私達の歌を聞きたいと思うなら、私達をもっと大事にしてほしいという願いがこめられていた。当時、宮中の意に反する言葉は厳しく戒《いまし》められていたから、相模の大胆な表現がそのまま伝えられたら、どのような目に遭うのかわからなかった。しかし、人々はこの歌をただおめでたい歌として褒《ほ》めそやすのみだった。

相模は朝日山の頂での体験を誰にも言うまいと思っていた。言えば言うほど、さらに奇矯なふるまいをする者と思われてしまうからだ。夜、一人寝ながら、琵琶湖の青い湖面を思った。湖岸から相模が松の青葉越しに湖を眺めている風景だった。その景色を思い浮かべると、わけもなく寂しい気持ちになった。ひとりぼっちで、誰にも何の影響も与えられないといった心境だった。思わず涙を流した。すると不思議なことに、青い湖は相模の涙が流れると、緑色に変わった。そして居並ぶ貴族達は皆、相模にほほえむのだった。不思議なことだと思って心の中で普賢に問うと、普賢はただ笑って衣の袖を動かすのみだった。その時の様子を歌に詠んでみた。

松の上にかゝれる露の消えずして
碧《みどり》の海となる迄《まで》もみん

松にかかっている露が末長く消えずにあり、青い海となるまで見よう。

相模はこのころ、よく死を考えた。独り身で、誰も自分のことに関心はないだろう。落ちついて死を迎えることができるのだろうか。都では末法《まっぽう》だと言って、阿弥陀仏《あみだぶつ》に頼んで往生するのが流行している。皆、死ぬ間際まで落ちついていられない。さて、自分自身はどうだろう。そう考えながら相模は歌を詠んだ。

たむくるにをくられたらは都より
神の心をおもひをこせん

離別を悲しみ、死にたいと思い、期せずして生き残ったならば、あの朝日山で出会った仏の心を思い起こしてみよう。野に生える小さな草のように心静かに生きていくことを思い出してみよう。

長洲の浜に旅したことを思い出した。鶴の声がにぎやかで絶えなかった。その声を思い出しながら歌を詠んだ。

萬代《よろずよ》をわれにゆつるか聲《こえ》たえず
なかすの浜になきわたる覧《らん》

何とかして、生命のある歌を作ろう。長い齢《よわい》を重ねる鶴はその仕事を私に譲るつもりがあるだろうか。ずっと鳴き続けていることよ。

相模の歌に自信が芽生えてくるのがうかがえる。歌に託して歌論を記している。

和歌《わか》の浦《うら》に汀《みぎわ》のたつしはく丶ま丶
芦《あし》の下ねそよなか丶るへき

和歌の浦の水際の鶴を守り育てるのなら、芦の下根も末長く伸びるでしょう。もし、永遠の生命を願う歌人を育てようと思うならば、いろいろ批評せず長い目でその成長を見守ってあげなさい。

二　不思議な夢

そのころ、相模は不思議な夢を見た。見たことのある景色だがよく思い出せない。緑に包まれた山である。群衆が「盗人《ぬすっと》相模」「物狂《ものぐる》い相模」と叫んでいる。皆の形相《ぎょうそう》は殺気《さっき》だっている。相模はその群衆の中にいる。何を意味しているのかわからない夢だった。気になったので歌にしてみた。

いさや又賢《さか》しき事の見えぬよに
夢をはいか丶思ひとくへき

何だか理屈《りくつ》の通ることとは思えない世の中で夢を見たけれど、いったいこの夢をどうやって解くのだろう。
次の日見た夢は、相模が手に縄を結ばれて引きたてられている夢だった。群衆は口々にののしり「相模を殺せ」「物狂い相模」と叫んでいる。こんな理不尽なことがあってたまるものかと悲しい気持ちになった。

しきたへのちりは夢にもまさりけり
よなく〵積る涙なかれて

敷布《しきふ》のちりは夢の中よりも多いことです。よなよな流す涙が多くて。
涙を敷布のちりと詠んだ。相模は普賢《ふげん》に夢の意味を尋ねた。普賢は相模の目をじっと見て、「相模の行く末を見せている。覚悟しておきなさい」と言った。相模は不思議な気持ちがして歌に書きとめた。

憂事《うきこと》を急きもみせんよとゝもに
只《ただ》夢ぬしのかみをおかまむ

つらい将来のことを夢で相模に見せているという。相模はどうしてよいのかわからないので普賢にすがるばかりだった。
翌日机に向かっている時、うとうととしてしまった。夢の中に広い海が現れた。遠くの空に普賢が立っている。衣の袖で手招きしている。目が覚めた。何のことかわからないので歌に書いておいた。

現《うつつ》とも夢ともわかす身にそへる
かの幻《まぼろし》とさらは頼まん

夢か真か区別がつかないので、あの幻のような普賢菩薩に身を委ねようという歌である。
しばらくは何事も起きなかった。不思議な夢はその続きもなかった。相模はまた、公資《きんすけ》のことを考えた。そして今までの人生をつらつらと考えていた。

ふたつなき心に入れて箱根山
いのる我身《わがみ》をむなしからすな

相模は公資のことを思った。離別して疎遠《そえん》になっても公資の平穏を祈る気持ちだった。この気持ちをどうぞ無駄にしないでほしいと書いた。書いていると、昔、京に帰れると思い足柄の関を弾んだ気持ちで登ったことを思い出した。結局相模は京に、公資は遠江《とおとうみ》にと別れねばならなかった。

足柄の関の思い出と、別れて交流が遠くなったことを思い出すと、楽しい思い出もつらいものとなった。別れなければこんなに悩むこともなかったろうと。この悔しさが忘れられない。

くやしさも忘られやせん足柄《あしがら》の
関《せき》のつらさをいつになり南《なん》

相模が京に向かうことに決まって、伊豆で別れた時のことが思い出された。公資が顔を涙でくしゃくしゃにして手を振っていた。そうだ、あの顔を見て急な坂道を上ってから、しばらくは物思いに沈んだことだった。昔を思い出して詠んだ。

此度《このたび》は心もゆかぬさかみちに
わたりにしより物《もの》をこそ思へ

当時、公資から相模を頼って手紙がきた。相模も伊豆や遠江に手紙を出した。この二人の切ない気持ちは神に届かなかったことだなあ。

はしるゆにゆきかよひにし水茎《みずくき》は
神《かみ》の心はゆかさらめやは

その後公資から返事が来なかったので、恨んだりした。日が昇る本《もと》にいながらいつも迷っていたから澄みきった心でいることは難しく、神のことも考えられなかった。心を統一して神仏に祈りを捧げていれば、あのように涙で袖が乾かないほど泣くこともなかったろう。

曇りなくたてる日《ひ》の本《もと》かすならて
あれはや袖《そで》の乾《かわ》かさる覧《らん》

相模は考えた。心の中の普賢の言葉を大切にして一心にしたがうならば、いつかどこかで公資に逢えるのではないかと。

願ふ事みちくることやたまくしけ
ふたみの浦にかひもよす覧《らん》

相模は草紙を閉じた。

三　経《きょう》を読む

長い草紙を暗い中で延々と読んだせいか、目の奥が非常に痛かった。目を休ませるつもりでその日は早く休んだ。翌朝、目を覚ますと相模はまぶしくて目があけられなかった。どうしたものかと付き人に尋ねた。物《もの》の怪《け》のせいではないかと言う。このところ病気がちだった相模は、付き人の勧めで日向《ひなた》という寺に行った。相模は不安だった。普賢が現れ助言してくれるものの現世の執着を捨てるのは難しかった。その悪業が目に現れたのかと気がかりだった。

　その寺で相模は薬師経《やくしきょう》を読むように言われた。相模の視力は暗い所で経を読むことで、より弱くなった。

結局目は良くならず、片目の視力は著しく弱くなってしまった。やはり自分に救いはないのだとがっかりして寺の柱に歌を書きつけた。薬師如来にお頼みすれば、はっきりと見えるようになるでしょう。

指《さし》てこしひなたの山を頼むには
め も明《あきら》かにみえさらめやは

相模はこの時から経を読みたいと思うようになった。古い歌はよく読んだが、経を読むのは初めてだった。

しばらくして石山寺に行き、そこで初めて法華経《ほけきょう》を読んだ。いつも話をする普賢菩薩のことを調べたいと思い、観普賢菩薩行法経《かんふげんぼさつぎょうぼうきょう》の頁を次から次へとめくった。難しくてよく理解できなかった。日ごろ普賢の言っている言葉とは違うように思われた。疑問が湧いた。勝手に普賢がそばにいると思い込んでいたのではないかと思った。

相模は不安になりながらも法華経を読み進んだ。突然、ある頁にきた時、目が釘づけになった。

―煩悩《ぼんのう》を断ぜず五欲《ごよく》を離れずして諸根《しょこん》を浄《きよ》め諸罪《しょざい》を滅除《めつじょ》することを得―

―無量世《むりょうせ》に於て眼根《げんこん》の因縁《いんねん》をもって諸色に貪著《とんじゃく》す。色に著《じゃく》するを以《もっ》ての故に諸塵を貪愛《とんあい》す。塵《ちり》を愛するを以ての故に女人の身を受けて世々に生ずる処に諸色《しょしょく》に惑著《わくじゃく》す―

―我は自ら懺悔《ざんげ》することを以てなお普賢の働きを全《まっと》うす―

「観普賢菩薩行法経」よりいたずらに煩悩を断とうとするのではなく、その原因を考えることに悟りを求めていく生き方がある。それが行である。

永遠に続く魂の歴史の中で、今までの魂の傾向のために五官《ごかん》の悦《よろこ》びに囚《とら》われてきた。五官の悦びに囚われたために澄んだ心境を知らず、物質的な楽しみに執着し、それに溺《おぼ》れてきた。物質的な楽しみに執着《しゅうちゃく》する故《ゆえ》に女人《にょにん》の生を受けてなお修行の場を与えられた。しかし、なお眼前の現象に迷い執着をくり返してきた。そのあらゆる迷いと執着を自ら悔い改めることによって普賢菩薩の働きをすることができる。

読んでいるうちに心の中に普賢菩薩《ふげんぼさつ》が現れた。そのそばに観音菩薩《かんのんぼさつ》も弥勒菩薩《みろくぼさつ》も文殊菩薩《もんじゅぼさつ》もいた。たくさんの名の知れない神仏がいた。多くの神仏は金色の光を発していた。真ん中に阿弥陀如来《あみだにょらい》がいた。相模は狂喜《きょうき》した。普賢の教えとはこのことだったのか。仏法に帰依するには厳しい修行が必要と思っていた。法華経を信じ現世の執着から離れねば駄目だと思っていた。現世の執着が強い自分には往生することなど無理だと思っていた。それがどうだろう。迷いの中にいる今のままで、それを懺悔《ざんげ》することで救われるという。そのようなことなど考えてもいなかった。相模は心の底から感動した。うれしくて叫びたいような気持ちだった。

あふことはありかたくとも石山に
うちつる恋の光みえなん

石山寺で私は普賢菩薩に会いました。その教えはありがたいものでした。たくさんの神仏が現れ祝福してくれました。永遠の恋の光が見えました。私はその教えに従うことができます。

しばらくして内親王達と鴨《かも》（賀茂）神社と貴船《きふね》神社に行った。このころ相模の心の中にあの石山寺で会った多くの神仏が現れ、種々の助言を与えてくれた。神仏はさまざまな表現を使いながら霊魂《れいこん》の永遠なことを説いた。

現世のさまざまな経験は相模の魂が向上するための試練であり、今まさに相模は一つの段階を越えようとしていること、多くの神仏はそれを祝福して現れているとのことだった。その頻繁《ひんぱん》な便りに相模は強く励まされた。

みるめかることのつてより繁《しげ》からは
嬉《うれ》しきふねの便《たより》と思はん

四　公資《きんすけ》の病死

相模はやっと落ちついた心境に辿《たど》り着けた。手紙のやり取りの中で喜んだり恨んだりした公資も年をとり、今、相模を頼りにし、相模の身を心配して便りをくれる。何と幸福なことだろうか。身に過ぎた生活のように思われた。普賢も相模を応援してくれる。身近に感じることができる。相模の心は思わず弾《はず》んできた。そのころ、遠江より使いの者がやってきて、公資《きんすけ》が病死したと告げた。相模は遥かな地で没した公資を思った。何回かの離別をくり返し、やっと心が通いあったと思った矢先の死だった。できるなら魂の永遠なことを伝えたかった。あの世で会うことができると話したかった。何としても無念でならなかった。死んだと噂の立つころ、雨が降っていた。

相模は一日中公資のことを思い出していた。涙が流れてきた。

なき名たつころそれをのみなけく程《ほど》に、雨の降りしかは

ひまもなきそらことにのみくもりつゝ
雨よりけにもふるなみたかな
（思女集）

公資のことを思って歌を書いていると若くして病気で亡くなった一条帝が思い出された。もし一条帝の悲しさを晴らし、また公資の寂しさをなくすことができるならば、私は自分の運命など恨むものではない。相模は天《あま》の河《がわ》を見ながら思った。

あまの河なき名をすゝくものならは
なかるるみをもうらみさらまし
（思女集）

立派な侘歌《わびうた》だった。相模は一条帝や公資を思うあまり歌の巧拙《こうせつ》を考えていなかった。相模は亡くなった者達を思った。普賢は「この世のことを思いわずらうな。亡くなった者の魂は永遠に成長するのだから」と言って慰めてくれるが、相模はとても落ちついた気分になれない。

くまもなき月の、たもとにうつれるかけさへそひて、めのいとまなき心ちのみして

くもりよの月はなかむるそらもなし
そてにうつれるかけをみるまに
（思女集）

曇りもなく月の光が私のたもとに射しています。普賢は私のそばにいてあれこれ助言をしてくれます。しかし自分の気持ちは落ちつかなく、心の中は悲しみで曇っていて永遠の魂を思いやる余裕がありません。たとえ普賢がそばにいて助言をしてくれても。

相模は自分の心を正直に普賢に伝えることができないように思えた。部屋にこもり落ちつかない気持ちですごした。数日すぎてから、歌を詠んだ。

ありそ海のはまのまさこをみなもかな
ひとりぬる夜のかすにとるへく
（思女集）

私はきっと浜辺の砂のように、たくさんあるうちの一つにすぎません。とるに足らない存在なのに死んだ者を思いわずらっています。それは独り寝の夜を数えるように虚しいことです。

歌を詠んでいると心の中に普賢の声が響いた。同じ相模の歌だ。

ありそ海のはまのまさこをみなもかな
ひとりぬる夜のかすにとるへく
（思女集）

不思議にも相模にはその歌が違う意味に聞こえた。

「生きとし生ける者はみな、神仏の前には同じ存在だ。一人孤独でいると考える必要はない」。やさしい声だった。目をつむるとあの普賢の和やかな顔が浮かんだ。衣の袖をゆっくりと動かしていた。

公資が亡くなると相模は喪《も》に服した。公資の墓前に立つと、その墓の中から公資が再び生き返ってくると思われた。強く願えば生き返ってくるのではないかと思いながら、必死に願い涙を流した。

なけゝともわかみはゆきもはなれぬを
あやしくさきにたつなみたかな
(思女集)

どんなに嘆いても我身は絶え果てるわけはありません。しかしそれでも見苦しく涙が流れてくるのです。

普賢の教えに従い落ちついた心境に達した相模ではあったが、公資の死に遭って平静でいられなかった。現世がいつも自分につれないように思われた。そのような世ならば、いっそ解き放たれてあの世に行ければよいのにそれもままならない。つらいことだと思った。

いのちたにゆくすゑ《え》たのむよなりせは
とはぬ程《ほど》をもうらみさらまし
（思女集）

我が身を後世に託し現世に失望するのは情けないことです。それでも死の訪れのないのは恨めしいことです。

相模は一人で寝ていると夢に普賢が現れた。相模は普賢に不平を言った。この世で頼りとしていた公資と死に別れてしまった。現世は試練の場所と教わったけれど、心の通う人はもう誰もそばにいない。この寂しさを何とかしてくれないかと。普賢は相模の話を聞き、微笑しながら衣の袖を動かすばかりだった。

あはぬよのかすのみつもるしきたへの
まくらのちりのたちゐ《い》まつかな
（思女集）

心の通う人とは皆、別れてしまいました。私は現世にいて俗にまみれていることです。

相模はまた別の夢を見た。相模の歩いていく道筋に丸い木橋がかかっている。不思議なことに途中から途絶えている。どうしたものかと考えていると普賢の声が響いた。

「途中で思案しないで先に進みなさい」

相模は目が覚めた。

あやふしとみゆるとたえのまろはしの
まつなとか、るものおもふらん
（思女集）

しばらくして相模は内親王の付き人として白川の滝を訪ねた。水量が多いので有名だった。白く泡立つ滝を見た。

おちまさるわか涙にしくらふれは
かのなるたきも名のみ成《なり》けり
（思女集）

私の今の悲しさに比べれば高名な白川の滝など及ぶものではありません。
このころ、相模の許《もと》に右大臣実資《さねすけ》の使いの者がやってきた。公資の没後、体の調子が思わしくなく床に就《つ》く日が多かったので、相模は使いの者に会えないと伝えた。すると使いの者は「折角《せっかく》右大臣が聞きたいと言っているのに仮病《けびょう》を使うとは何事だ。人は正直でなくてはいけない」と相模の病気を疑うので相模は憤慨して返事をした。

うらなしとおもふわかみもいかなれは
うきめをのみはたえすみるらん
（思女集）

正直者であろうとしている私ですが、絶えずつらい思いをしております。
その返事を見て使いの者は多少納得した様子だったが、歌を作った様子からみて「寝ているにしては元気がありすぎるのでは」と言ったので、続けて歌を作った。

うらみてもなに、かはせむなみかけて
いふかひもなき人の心を
(思女集)

自分の夫は亡くなってしまってもう言葉を交わすことができません。その心に問いかけることも甲斐のないことです。
この歌は、「仮病と疑っている使者よ、人の心を理解しえない野暮《やぼ》な人ならば何を言っても無駄なことだ」とあてつけたつもりだった。右大臣の使いはあきらめて帰っていった。夜半目を覚ました相模は、窓から月の影がほのかに射し込んでいるのに気づいた。死期の迫ったことを悟った。

朝ほらけのこれる月のかけをみて
あるかなきかの身をそよそふる
(思女集)

その晩の月は泣いているように赤かった。相模は夜明けまでさまざまな思いが湧いてきて眠れなかった。

あきのよの月をなかむとせし程《ほど》に
人まつひと、人やみるらん
（思女集）

秋の月を眺めていると、亡くなった人のことを思い、私が死にたいと願っていると他人は思うだろう。

外を見ると巣が破れて蜘蛛《くも》は死に絶えてしまったようだ。その蜘蛛に我が身をなぞらえてみた。

さゝかにのいかにむすひしなかなれは
たゆてふことはやすきなるらん
（思女集）

蜘蛛は夫婦の永遠の仲を誓いあったことだろう。お互いを永遠の存在と認めあった仲ならば、現世に身を任せて生きていくのは容易なことだろう。

晩秋だった。秋は今日で最後という話を聞いた。

あきはつとよそにはきかしことのはも
かれゆく程《ほど》の名にこそありけれ
（思女集）

あきとは自分とは関係のない言葉です。私は好きだと思った人をいやになることはありませんでした。ただ自分が衰えて気力が失せていくことがあれば、それをあきというのでしょう。
つらつらと自分の来し方《かた》を考えていると目が冴《さ》えて眠れない。虫の声が哀れに聞こえてくる。

しもかれのよもきかもとにさよふけて
ほのにきこゆるまつむしのこゑ《え》
(思女集)

人生の晩年を迎え、死を間近に感じる日々です。魂が永遠であるならば、死もまた永遠への旅立ちです。松虫の声を聞きながら、その旅立ちを心の底で待っていることです。
明け方まで公資を思い眠れない日があった。公資が死んで寂しいと思うと空までも曇りがちになり、月さえ見えなくなる。相模は空をじっと見ていた。

人もゆき月も入ぬるあけほのは
なこりのそらそなかめやらる、
(思女集)

公資のことを思い恨みがちになると、結局自分は公資から捨てられたと思い始める。自分だけがこの苦しみを味わっていると思える。

たが袖にきみかさぬらむからころも
よな〳〵われにかたしかせつゝ
（思女集）

公資よ、あなたは自分の衣を他のどの女の人にかけてあげたのですか。夜な夜な私にかけるふりをしながら。

このような恨みの歌を作っていると普賢の衣の袖すら疑わしく思える。普賢は他の女の人にも同じことを言って衣の袖を動かし、自分は騙《だま》されていたのではないかと思った。考えてみると、この世はつらいことばかりが自分に降りかかっている気がしてきた。その苦しみを逃れようとしても、なお命は永らえている。その永らえている命さえつらく感じる。

恨み言を歌にして詠んでいると、心の中に普賢の厳しい叱責《しっせき》が響いた。

「深くのみ、思い入れ」

ふかくのみおもひいれともしての山
なとこえかたきわかみなるらん
（思女集）

魂の永遠を考えなさいと普賢は教えてくれるが、なお自分はその永遠を理解できないでいます。他人はいかようにでも考えることでしょう。しかし自分の心に秘めたこととなると、このように疑問を持ったり嫉妬《しっと》を感じたりするのです。

五　賀陽院《かやいん》の歌合《うたあわせ》

つらい日々が続くうち、相模のもとに朗報が届いた。関白藤原頼通《かんぱくふじわらのよりみち》が主催する賀陽院《かやいん》の歌合《うたあわせ》に相模は招かれた。歌の作者としてであり、また方人《かたうど》としてである。その知らせに相模は心の震える思いがした。自分の歌が認められたと感じた。

歌合の日は雲一つない快晴だった。南堀川にある関白藤原頼通の邸に貴族達が思い思いのいで立ちをして集まった。なでしこが一面に咲く庭を見て招かれた客達は、「まるで金糸銀糸《きんしぎんし》でできた錦《にしき》のようで、まことに見事なものだ」「唐《から》の国の美しさを運んできたようだ」と褒《ほ》め上げた。

邸宅に集まった公達《きんだち》の間では、夕方に行なわれる歌合の話で持ち切りだった。邸内では、歌を書く文台《ぶんだい》や歌合の勝負に使われる員刺《かずさし》が運ばれていた。池には二艘《にそう》の船が浮かべられ、その船の高い欄干《らんかん》は螺鈿《らでん》が施され、色とりどりの絹の幕が張られていた。

やがて左方の人達は皆、お揃《そろ》いの紅色の衣を身に着け、赤味がかった青色の袴《はかま》をはいて現れた。船には溢れるほどの人が乗り込み、池の水の流れに任せて進み出た。一方、右方の人達は釣殿《つりどの》の南にのびた渡殿《わたりどの》に集まった。歌合の場所に近いので、牛車の音がうるさいと文句を言う者がいて、混乱の態だった。左方は象嵌《ぞうがん》を施した机に銀製の透かしの入った箱を置き、銀の扇に十の歌を書いて歌合の準備とした。右方は銀製のなでしこに蝶《ちょう》が止まっている細工《さいく》に歌を書きつけ、こちらも十首の歌を書いて歌合の備えとした。

歌合は夕方の六時に始まった。題は既に決まっていた。左方右方に分かれて歌を競い、相模は左方の二番目に、「五月雨《さみだれ》」の題で歌を作ることとなった。相模は一条帝の憂いの帯びた顔を思い浮かべた。皇后定子を思って亡くなった一条帝のことを歌にしようと考えた。愛する人と生きていけないつらさを想像した。ふと天皇に献上《けんじょう》する馬を飼育している美豆《みづ》の御牧《みまき》を思い浮かべた。帝も馬に乗り、楽しい世を過ごしたかったに違いないと考えた。まず、歌を書いた。

五月雨《さみだれ》は美豆《みづ》の御《み》牧《まき》のまこも草
（早く楽しき世をも見る哉《かな》）

平兼盛《たいらのかねもり》の歌の下《しも》の句《く》をつけてみた。しかし、どう考えても五月雨が降って楽しい世になるとは考えられない。平兼盛は「しのぶれど色に出でにけりわが恋は　ものや思ふと人の問ふまで」と歌を作ったことで知られる。天徳四年（九六〇年）、天徳内裏《てんとくだいり》歌合で壬生忠見《みぶのただみ》の「恋すてふわが名はまだき立ちにけり　人知れずこそ思ひそめしか」と大接戦を演じた。素直に心情を表し人の心を動かしたことを相模は思い出した。そこで相模はありのままの気持ちこそが大事だと考え、雨が強く降り、まこも草の刈り取る暇もないと表した。

五月雨は美豆の御牧のまこも草
刈り干すひまもあらじとぞ思ふ

この歌が大騒動の原因となるとは、この時相模は気がつかなかった。

講師《こうじ》の藤原経長《ふじわらのつねなが》は、左近少将《さこんしょうしょう》藤原行経《ふじわらのゆきつね》から歌の書かれた扇を貰った。経長は見た瞬間、この歌がどのように解されるかを悟った。今日、来賓である後一条天皇《ごいちじょうてんのう》はまだ現れていない。席は空いたまだ。この歌を詠じると聴衆は後一条天皇が困っていると取る。さらに賀陽院《かやいん》の主、藤原頼通はこの歌を聞き、天皇を追いつめた者として皮肉の響きを感じ取るに違いない。本来、五月雨の歌意は憂いを表す。だが、この歌は五月雨の勢いで生き生きとした動きのある情景を映している。それはそれで別の反響を呼ぶのかもしれない。経長は悩みながら声を張って詠じることにした。

左方一番目の歌は、「夏の夜の月の光は、この庭に白妙《しろたえ》の霜《しも》となって見えることでしょう」という藤原道長の息子、長家《ながいえ》の歌で、今日の祝いの席にまことに適していた。

右方一番目の赤染衛門《あかぞめえもん》の歌も、「この家の主人と同じく夜空が澄み切っていて、月の光が格別すばらしいものだ」という祝いの歌だった。

二番目となった。いよいよ相模の歌が登場するときとなった。月が東の空から昇った。歌合はまさに佳境《かきょう》を迎えるところだった。経長は緊張した。相模の作った歌はお祝いの歌ではない。何か違っている。そのまま詠じていいものかどうかまた迷った。それは経長の役職を務める上での勘《かん》だった。誰かに何かを咎《とが》められはしないかと不安だった。この歌合において、祝いの歌以外の歌が出てくるのが意外だった。相模は主催者である藤原頼通が推薦《すいせん》した歌人である。脩子内親王のもとで働く女房であること以外詳しいことを経長は知らなかった。講師は詠じるのが役目であり、歌の当否については判者《はんじゃ》に任されている。歌を読み上げる講師《こうじ》、経長は前を向き、遠くに向かって相模の歌を詠じた。

五月雨《さみだれ》は美豆《みづ》の御牧《みまき》のまこも草

刈り干すひまもあらじとぞ思ふ

シーンとして多くの聴衆が息をのんでいるのがわかった。経長は俄《にわか》に緊張した。

人々の驚く声がグワーンと響いてきた。そのどよめきの大きさは建物全体を揺らすようだった。「雨のせいで干魃《かんばつ》は治まった。めでたいことだ」という意味と「天皇はいつも摂関家に追われて苦しんでいる」という厳しい警鐘《けいしょう》の意を含んでいた。歌合で人々が動揺するこのような経験を経長はしたことがなかった。経長は驚いた。後一条天皇のことは誰も触れないと思った。天皇は現在病気で、参加もままならないのだろう。次から次へと天皇家は道長に苦しめられている。人々の多くはそう心の底で思っている。相模はよりによって、このめでたい席で言ってはならない禁忌《きんき》に触れてしまった。出席者一同の心を衝《つ》く言葉に、みな拍手を惜しまなかった。どよめきと拍手はしばらく続き、歌合は参加者の多くに強い印象を与えた。

一同のどよめきは収まり、しばらくたってから、右方は藤原頼宗《ふじわらのよりむね》の歌を講師《こうじ》、藤原資通《ふじわらのすけみち》が詠《えい》じた。資通は経長と同年代だった。銀細工《ぎんざいく》でできた蝶の羽の下にある歌を詠じた。

さみだれのそらをなかむるのどけさは
ちよをかねたるここちこそすれ

五月雨の空を眺めるのどけさは永久に続く気持ちがする。

祝いの席に適する歌だった。強い刺激のあとで、聴衆にはこの歌を物足りなく感じた。あまりに相模の歌は聴衆の心を突き動かしていたからだ。判者藤原輔親《はんじゃふじわらのすけちか》は八十二歳で、伊勢の祭主《さいしゅ》を務めていた。歌が詠じられた後、彼は瞬時に歌を判じなくてはならなかった。聴衆の驚きと賛同の声に従うべきか、主催者を忖度《そんたく》する意図に従うべきか。彼は迷わず前者に従った。「ときをりふしに従う」と言って相模の歌を勝ちとした。聴衆の大きなどよめきはそれを打ち消すことができないほど、あまりにも大きな力を持っていたからだ。

相模の歌を聞いて、関白頼通《かんぱくよりみち》はひどく腹を立てた。

「何でこのめでたい歌合であんな不興気《ふきょうげ》な歌を詠じたのだ」

そばに仕《つか》える人は取りなすように言った。

「いえ、あれは雨が降ったのを喜んだ歌です」

頼通は相模が昔、道長の息子顕信《あきのぶ》を出家に誘った女だと知った。

「いつまでも藤原北家《ふじわらほっけ》の興隆《こうりゅう》にたてつく忌々《いまいま》しい奴《やつ》だ」。そう言ったものの、歌合では多くの者が賀陽院を褒《ほ》めそやしたので、頼通は相模のことを深く気にしなくなった。

後一条天皇は、この歌合のあった翌年、病死した。

息子の死を嘆く母、上東門院《じょうとうもんいん》（藤原彰子《ふじわらのしょうし》）は、ほととぎすの鳴く声を聞きながら、一首詠《よ》んだ。

一《ひと》こゑ《え》も君につげなむ時鳥《ほととぎす》
この五月雨は闇にまどふと
（千載和歌集《せんざいわかしゅう》）

ほととぎすよ、一声だけでも亡くなった私の子に告げてほしい。私はあなたのことを思い、子供も闇の中で惑っていると。

息子、後一条帝の死を悲しんで詠まれた歌は、あの賀陽院《かやいん》での相模の歌を受けて作られていた。道長の娘である上東門院《じょうとうもんいん》は子の後一条天皇を思い、秘かに相模の歌を愛唱していた。

歌合のあと、住吉《すみよし》神社に向かう舟で能因と藤原定頼は乗り合わせた。舟が大きく揺れて、定頼の衣に波がかかった。定頼の少し離れた所に能因がいた。

能因が定頼に言った。「おい、ぬれ鶯《うぐいす》、どうしてお前はあんなそらぞらしい歌を作るんだよ」

「貴殿《きでん》にそう言われる覚えはない」

「お前は相模が誰よりも惚れた相手なんだろ。それなのにあんな心にもない歌を作って恥ずかしくないのか」

定頼は少し気色ばんだが、貴族である態度を失わなかった。

「私の歌は、この安定した世が濁《にご》らずに続いてほしいと思って詠んだものです」

「本当に濁ってないとでも思っているのか。それにお前の歌は歌合で二回も詠じられているんだ。二回目の歌は、この邸は唐国《からくに》の錦もかくあらんと褒《ほ》めあげて、全くいい気なもんだ」

定頼は答えた。「あなたこそ、君が代は筑波根《つくばね》の峯の続きの海となるまで続くと褒めちぎっていました」

能因は「そうだ、そのとおりだ。二人とも相模の手引きでこの歌合に出られた。相模は自分の思いを歌にこめた。この壮大な賀陽院や摂関家の強さに目もくれなかった。相模は俺達がどのような歌を作ろうと、明日会えば明るく接してくれる。俺達がどれほど臆病者であっても、相模はそれを非難したりしない」

定頼は静かに肯いている。

「私は能因の最後に読まれた歌が好きです。『くろかみの色もかはりぬ恋すとて　つれなき人にわれぞ老いぬる』、あれは相模のことではありませんか」

能因は答えた。「そうだ。そのとおりだ」

能因は話し始めた。

「相模は頭がいい子なんだよ。我ら誰よりも」

「我らって誰のこと」と定頼が尋ねる。

「お前とか則長《のりなが》とか公資《きんすけ》とか。定頼は坊ちゃんだけど、あとはみんな似たようなものだよ。皆、歌が少しうまくなって出世したいとか、名を売りたいと思っている。だけど相模は違う。歌がうまくなって出世したいなんていう我らの下衆《げす》な気持ちとは違い、歌の中に真実を盛りたいと思っている。定頼の父君の公任《きんとう》だって下衆なところは我らと同じだ」

定頼、大きく肯く。「父君は文章を書くけれど本物じゃない。本物というのは文章の中に真実の思いを入れることさ。私は清少納言を本物だと思う」

能因が答える。「俺もそう思う。清少納言はさみしい心を知って書いている」

定頼が聞く。「能因はその心をわかったのか」

「わかった。清少納言は淋しくてしょうがないんだ。淋しいから、皇后様のことが好きだけど紛らして他のことを書いている。淋しさを批評めいたことに換えて書いているんだよ。それはすばらしくうまい文章で俺には書けないから、うまくなりたいと思って書き写している。まさかあれほど京で有名になるとは思っていなかった」

定頼が聞く。「相模の歌のいいところはどこ」

能因が言う。「よくわかってはいないけれど、深さだと思う。暗さ、悲しさ、侘《わび》しさの深さ、我らには書けない気がする」

定頼が肯《うなず》き、能因は言う。「我らは実は侘しくない。相模は自分の侘しさを生まれつき持っている」

定頼が聞く。「どうしてそれがわかった」

能因は言う。「童女御覧《わらわごらん》の話を知っているか。相模に初めて会って詩詠《しえい》を聞いて、一条帝は泣いたんだ。帝を泣かした。それも子供が泣かした。大変なことだ。そういう子が出てくるなど誰も思っていなかったんだ。実資《さねすけ》達があわてたって話。それくらい貴族達が感動した。そんな小さな子が大の大人を感動させられるわけないと思ったのだけど、実際に感動させる力を持っている。人の持たない力を相模は持っているんだ。一条帝の泣いた話を聞いて皇后様も泣いた。だから、皇后様が亡くなった時も一条帝が亡くなった時も、その時の歌をひそかに歌集の中にしのばせてあるって相模に聞いたことがある。それが相模なんだ。誰にもわからないように、うまくあいつは歌を作っている。だから誰もかなわない。我らみたいにうまくなりたいだの、出世したいだの、一切思っていない。だから脱帽する。相模の真の応援者は脩子内親王だと思う」

定頼は肯く。

「相模は立派だと思う。誰にも負けない歌を作っていると思う。我らみんな信念がなかった。みな、根がないのだ。相模ほど信念がない。誰も殺されるのは嫌だもの。相模は殺されるかどうか気にしてない。だから深いんだ。だから誰も相模の歌を真似できないのだ」

そう言うと能因は泣き始めた。定頼は能因の肩を抱いた。定頼が言った。「道長に嫌われて生きている自分なのに、相模のことを忘れ、現世に執着した歌を作った。相模が慕ってくれてもひどい返事をした。住吉の神に我らの愚かさを詫《わ》びるとともに相模の活躍と平安を祈ろうではないか」

能因は大きく肯いた。舟は前へと進んで行った。


歌合が終わって不思議なことに相模に声を掛ける者はいなかった。参加した貴族達は皆、下を向き、相模と顔を合わせないようにしていた。

左方が歌合で勝ったのだから、宴席に招かれるはずだったが、その声もかからない。相模はまるで悪事をしたような奇妙な気持ちがした。

相模はそこに残っていてはいけないことを感じていた。居並ぶ公家達の顔はこわばっていて、明らかに相模を避けていた。

賀陽院《かやいん》の衛士《えじ》達は手の甲を見せて相模に遠ざかるような仕草をした。

歌合のあとのめでたい宴も褒美《ほうび》も相模に与えられないことがわかった。奥の間で宴会の用意がされているが、そこに集まるのは歌合に勝った左方ではなく、頼通に近い者だけが集まっていた。

相模は一人邸を離れ、三条宮《さんじょうのみや》に帰っていった。

相模は一人部屋にこもった。自然と涙が流れてきた。脇息《きょうそく》にもたれて休んでいると、そばに誰かが来た。静かに衣をかけてくれた。香のかおりがして穏《おだ》やかな気持ちになった。やさしく相模の肩を抱いてくれた。脩子内親王だとわかり、落ちついた気持ちになった。

内親王は言った。

「あなたの活躍の様子を聞きました。うれしく思います。相模、力のある人は他人の小さなつぶやきを恐れるものよ。そのつぶやきが人にはないものだと感じられるときには」

脩子内親王は心配した。定子のもとから去った清少納言のように相模も自分のそばを離れるときがくるのではと。しかし、そのことを相模には告げず、脩子内親王は部屋を出ていった。

相模は考えた。私は内親王の立場を悪くしてしまったのではないか。果たしてこの場所にいていいのだろうか。明日にも頼通から内親王に厳しい沙汰《さた》があるのではないかと。

不安になって相模は普賢菩薩《ふげんぼさつ》に問うた。暗い部屋の中に普賢菩薩のほほえむ姿が映った。静かな声が響いた。

「この世の験《ため》しだと知れ」

相模は頭を垂れて黙想した。

六　脩子内親王《しゅうしないしんのう》と話す

月の明るい晩、脩子内親王は相模のいる部屋にやってきた。脩子内親王は歌を記した紙を持っていた。

脩子内親王が言った。

「あなたの歌を読むと自然と涙が流れてくる。どこか遠くの誰かが話をしているような不思議な気がする」

相模が尋ねた。「どなたかと心の中で話をしているのですか」
「父や母、それに清少納言です」
それから脩子内親王は紙に書かれていた歌を読んだ。

あまの河なき名をすゝくものならは
なかるるみをもうらみさらまし
（思女集）

清く澄んだ声だった。内親王は「これは母の気持ちのように思える」と言って涙を流した。相模は何も言わなかった。相模は考えた。歌には作る人と読む人の区別なく、ある一点に向けて思いを運ぶ働きがある。脩子内親王が皇后定子を思い浮かべることができるのならば、たとえ一条帝や公資を思った歌だとしても、歌が一つの働きをしたのではないかと。

相模は侘歌《わびうた》を作ろうと考えていた。賀陽院《かやいん》の歌合《うたあわせ》で歌を貴族達の前で作った。その時思い浮かべたのは、一条帝や皇后定子、脩子内親王、それに清少納言のことだった。それぞれの人は藤原摂関家から追われるような状況があり、生きていくのが大変だった。周囲からは厳しい評価が下されていた。彼らはいつも応援してくれる者や生きていく場所を探さなくてはならなかった。

一条帝は皇后定子の面影を追いながら亡くなっていった。皇后定子は子供の成長を見届けることができずに亡くなった。また二人は仲睦まじく暮らす夢を途中で断たれてしまった。清少納言は皇后を守ろうとして女房達から道長と通じる者とそしられ、生きていく場所を無くしてしまった。

皆、噂の種になり隅に追いやられたと相模には感じられた。相模は、亡くなった者達の汚名《おめい》をそそぎたい、その一心で歌を作った。

今、目の前にいる脩子内親王は皇后定子の無念さを解きたいと思い、泣いている。相模は心の中の普賢菩薩に手を合わせた。

それから相模は抽斗《ひきだし》の中から書きためた歌を脩子内親王に差し出した。思う女の集、思女集と名づけた十首の歌だった。脩子内親王はその中の最後の十首目を指して質問した。「この歌の意味を教えてください」と。

わがためは　わすれぐさのみ　おいしげる
ひとのこころや　すみよしのきく

相模は答えた。「人の心が澄んでくれればよいと思うものの、自分のことに追われ、つい忘れてしまうことです」

脩子内親王は次の歌を指さした。「これはどういう意味ですか」

時々にいかでながけかじと思へども
ならひにければ　しのばれぬ哉《かな》

相模は答えた。

「時々煩悩《ぼんのう》に追われる自分が嫌になりながらも嘆くまいと思い、普賢菩薩のことを考えると自然と広い心になれるのです」

脩子内親王はそれを聞いて、その歌を静かに置いた。

「相模、あなたは人の心が澄むことを誰よりも知っている。賀陽院の歌合では多くの人の心をつかみながら、その後の宴には招かれないでいます。私のもとに『物狂《ものぐる》い相模《さがみ》』という声が聞こえてきます。それとは別にあなたを応援する人も、ほら、こんなにあります」と言って手紙の束を見せた。大きな太い字で、定頼の名前が見えた。「あなたは関白頼通《かんぱくよりみち》の前で誰よりも貴族の人の心をつかみ、喝采《かっさい》を浴びました。それなのに住吉の神社から遠ざけられています。歌合に勝った人達は宴の後、住吉の神社に舟で行き、また美豆《みづ》の近くに行ったと聞いています。あなたはその歌合で一番に褒められるべき人なのに、その歌合を行なった人達から遠ざけられています。それでもあなたは人の心の平安を歌い続けています。私は知りました。あなたは人の心の平安を願って誰よりも強く歌う人です。そのような人は貴族の中にいません。あなたの作った歌はやがて多くの人の心を動かすに違いありません。あなたの歌を聞いて、私は心の底が喜びで震えてきます。私は仏教の教えも古今の詩も知っています。けれども相模、あなたの歌は誰の歌にもない力強さを持っています。私は誰よりもあなたの歌を応援したいのです。だから早く歌集を編みなさい。それは何よりも心の中で侘《わび》しさを抱えている人に希望の灯をつけるからです」

相模は少し戸惑っていた。歌合で勝ったものの、その後誰からもその評を聞いたことがない。今日初めて自分が『物狂い相模』と呼ばれていることを知った。それは身の程《ほど》知らずにも関白頼通に歯向かったからだろうか。相模はその評価を聞いて、脩子内親王に迷惑が及ぶのではないかと不安を感じた。相模はどうしてよいのかわからなかった。思わず「歌の体裁《ていさい》はどうしたらよいでしょうか」と脩子内親王の言葉に答えずに尋ねた。

脩子内親王は即座に答えた。

「もちろん『相模集』です。あなたの歌は人を浄土へ導く力があります。清少納言をごらんなさい。『枕草子』にありのままのことを書いたの。清少納言を道長は嫌ったの。自分の言うことを聞いてくれないから。あなたの歌も同じ。女人が活躍してほしいと道長も頼通も考えていない。だから私は『枕草子』も『相模集』も応援する。命がけで応援するの。私達女人も往生できることをありのままにあなたが示してほしいの。私は応援します。清少納言の『枕草子』と同じように女房達に読んでもらうようにしましょう。紙も筆も準備します。あなたは今までに作った歌をすべて私に預けてください。私とあなたで編纂《へんさん》しましょう。きっと楽しい仕事となるでしょう」

脩子内親王の熱い言葉は相模を驚かせた。日頃落ちついてふるまう脩子内親王のどこにその熱情がこめられているのだろうと考えた。さらに内親王が続けた。

「母が帝を好きだったように私は相模が慕わしくてならないのです。私はあなたの話を聞いて出家しました。私は今、あなたの歌を編纂することで往生できると信じています」

相模は答えた。

「身に余るお言葉をいただき、ありがとうございます。私はたまたま帝にお目にかかり、定子様、脩子様にお仕えすることができました。先輩の清少納言にも出会えました。御匣殿とも親しくさせていただきました。互いに励まされたり励ましたりしました。また、多くの場所でさまざまな女人達に支えられました。私はその中で身分に関係なく女人としての悲しみや苦しさを知りました。私は貴族同士の恋愛の歌ではなく、女人が苦しみながら生きてなお往生できるという歌を編みましょう」

相模はその日のことをいつまでも覚えていた。

相模は歌を作り続けた。脩子内親王はその歌を読み、評価を下した。相模は毎日が楽しく感じられた。今まで好きになった相手と長く良い関係でいられなかった。自分の気持ちが変化するせいか、相手が変化するせいなのかわからなかった。漢詩ではすべてのことは留まることがなく、やがて移っていくと教える。しかし、歌を作り、脩子内親王に歌の感想を聞く日々の中で、相模は今まで感じたことのない歌への情熱が湧き、真理がそばにあるのではと感じた。

相模は歌とともに女人往生《にょにんおうじょう》を内容とする説話を作ってみた。ある朝、相模は『物狂《ものぐる》い相模《さがみ》の往《おう》生《じょう》』という草子を作ったと脩子内親王に伝えた。内親王はその題がよほどおかしく感じたのか、声を立てて笑った。「相模、これ以上あなたが悪い評判をとらないよう、まず私にその草子を見せてほしい」と頼まれた。

相模は草子を持ってきた。

「これは全くの作りごとで真のことではありません。内親王に楽しく読んでいただければうれしいのです」

それを聞いて、脩子内親王は再び愉快そうに笑った。

七　草子『物狂い相模の往生』

（相模の入獄）

その年の五月八日、相模は西寺《さいじ》を訪ね、いつものように普賢菩薩《ふげんぼさつ》の前に座り、長いこと普賢と心の中で話をしていた。十日おいて五月十八日、藤原頼宗《ふじわらのよりむね》の使者から西寺に来るよう呼び出しがあった。その日は抜けるような晴天だった。相模は白い馬に乗せられて西寺の前に来た。いつもとは違う様子である。たくさんの人の群れが西寺の前にいた。群衆をかきわけ白い馬は進んでいった。相模が通う普賢菩薩の前に出た。野草が刈り取られ整地してあった。普段見慣れた場所とは思えなかった。相模は、おやっと思った。いつか夢で見た光景と同じだったからである。普賢のあるべき場所には古い台座のみぽつんと置かれていた。相模が馬に引かれて前に進み出ると、そこには頼宗を中心とする貴族達が並んで立っていた。

群衆の多くは口々に相模を指さし、「こいつが盗んだ、こいつが盗んだ」とはやしたてていた。

その日、普賢菩薩を見た者はいなかった。普賢菩薩の許《もと》に通う相模にわなをしかけるのはたやすいことだった。群衆の一人が「この者が使者を連れて今朝、像を持って行くのを見ました」と相模を指差して言った。相模は何も言わずに立っていた。群衆のうちの数人が相模を取り囲んだ。

「盗人《ぬすっと》相模《さがみ》、物狂《ものぐる》い相模《さがみ》」の声があちこちでし始めた。群衆を見守って立っていた頼宗が周囲を制して言った。

「盗んだのは相模、お前か」

相模は尋ねられながら、この光景もどこかで見た記憶があると思った。相模は落ちついた澄んだ声で言った。

「普賢菩薩はいつもすぐそばにおわします。それなのに、何故盗む必要がありましょう」。その時、群衆の中から藤原実資《ふじわらのさねすけ》が現れた。

従者に馬を引かせていた。馬は一体の木像を運んでいた。

「これこそ相模の部屋にかくしてあった普賢菩薩ではないか」と実資は言った。不思議なことにその木像は白木で今作ったばかりのように見えた。群衆の前にいた者は、これは違うという顔をして実資の方を見た。しかし後ろにいた者にはこの様子が全く見えなかった。どこからか「盗人相模、物狂い相模」の声が渦のように少しずつ湧き上がってきた。群衆は次第にふくれあがり、その声も次第に大きくなっていった。

相模はじっと前を見据えていた。びんはほつれ、かつての華やかな宮廷人の面影《おもかげ》はなかった。定頼に離別され、公資に死別されたと嘆き、普賢菩薩の所に通う哀れな女だった。ただひたすら愛しい者を思い、物狂い相模と呼ばれている女だった。群衆から「相模、打ち首」の合唱が大きくなった時だった。

一声「侘歌《わびうた》の相模《さがみ》」というなつかしい声が相模に届いた。相模ははっとして視線を上げた。遠くの人の群れの中にやさしい一条帝の顔があった。相模の目にしか見えぬ姿だった。「まことの侘歌を」という声が響いた。

相模は静かに前に出た。相模には普賢菩薩のほほえむ顔が見えた。貴族達のあでやかな姿が目に映った。

うらみわひほさぬそてたにあるものを
恋にくちなん名こそ惜《おし》けれ
（後拾遺和歌集）

一瞬、相模の声に群衆は静かになった。少しするとグワーンというどよめきに変わった。「物狂い相模」の声はますます大きくなった。頼宗は相模を捕えると内裏の一角にある牢に入れた。頼宗は相模の歌を聞いた時から実資の奸計《かんけい》に従ったことを恥じた。頼宗は歌人であり仏教にも深く通じていたので、一目《ひとめ》相模を見た時から常人と異なるものを感じた。相模の処刑をうまく避けたいと思った。頼宗はどうしたものかと思案し相模の心を尋ねようと自ら牢に足を運んだ。頼宗は相模を処刑したいと思わないと言うと、相模は頼宗をじっと見つめて紙と筆とを要求した。相模は三日間少量の水しか口にせず書き続けていた。

（獄中の歌）

相模は牢の中で歌を書いた。自分の人生を思い返しながら今の心境を歌に表したかった。何かに憑《つ》かれたように一気に歌を書いた。

それは霊歌《れいか》というにふさわしいものだった。

春の歌

徒然《つれづれ》となかき春のみみつくせと
あかぬは花の匂《にお》ひなりけり

つくづくと春の長い日を見つくしなさいと言われて飽きないのは花の美しさです。わずらうことなく心を尽くして日々を過ごせば、新鮮でよい心持ちになるはずです。

山里《やまざと》にかゝるすまゐ《い》は鶯《うぐいす》の
聲《こえ》まつきくそとりところなる

山里にある住まいは京と違って不便なものです。しかし、鶯の声を最初に聞くことができるのがよいところです。

牢の中は自由がなく不便極まりないものだが、内親王邸にいた時と違ってはっきりと普賢の声を聞くことができる。

さわらひや萌《もえ》出《い》てぬらん春の、に
焼《やけ》原《はら》あさる人しけくみゆ

春の野原を焼いたあとのさわらびが萌え出るころ、それを摘みにたくさんの人がいる。誰も自分で経験したはっきりとした証を見ない限り、目に見えない存在を信用したりしない。

しもかれんほと遠《とお》けにもみゆる哉《かな》
今もえ出《いず》る庭の若草

庭の若草を見ていると秋に霜枯れるとは思えない生気に溢れています。現実の私はこの牢の中で絶え果てるかもしれません。しかし、私の魂はますます盛んに燃えあがり、滅びるとは思えないことです。

花ならぬなくさめそなき山《やま》里《ざと》は
櫻《さくら》はしはしちらすもあら南《なん》

花より他に心を慰めるものもない山里を思ってか、桜は長い間散らずに人の心を楽しませてくれます。
牢の中の相模の楽しみは普賢との対話だけだった。不思議なことに牢の中では誰からもわずらわされずに普賢と話をすることができた。

吹きよらは乱れもやせん青柳《あおやぎ》の
いとこそ風は後めたけれ

風が吹けば乱れる青柳の枝であるが、後ろめたいのか風も青柳を吹かないで凪《な》いでいることです。
牢の中で相模は狼狽《ろうばい》しなかった。牢番達は相模に非常に親切だった。筆や紙の追加は禁じられていたが、相模が希望するとどういうわけか特別な措置が認められた。不足すると牢番がこっそり差し入れてくれて障害はいつもどこかで消えていくようだった。まるで相模のそばで神仏が応援しているように思えた。

澤水《さわみず》に蛙《かわず》もなけはさきぬらん
井出《いで》のわたりの山ふきの花

沢の水辺で蛙《かえる》が鳴いています。山吹の花がそれに誘われるように咲いています。

相模は不思議に思われた。今まで苦しいと思ったときにはいつも普賢が現れて助言をしてくれた。一条帝が亡くなって傷心《しょうしん》のあまり自殺を図ったときにも、また公資に捨てられ独り住まいをしていたときもそうだった。今濡《ぬ》れ衣《ぎぬ》を着せられ、この先の身の上も定まっていないときに不安を感じて問うと、いつでも普賢はそばにいて話をしてくれる。

　霞《かすみ》たに山ちにしはしたちとまれ
　すきにし春のかたみ共《とも》みむ

晩春で花が散りゆきます。何も春の形見となるものがないので、せめて霞くらいは留まってください。神仏の呼びかけの多くを人は気がつかず通りすぎていくことです。もし心の中に神仏を信じる気持ちが湧いたならば、その気持ちを少しでも深く思い留めてごらんなさい。

相模は夏の歌を作った。

　山かつのしはのかきねをみ渡せは
　あなうの花の咲《さけ》る處《ところ》や

粗末な家の庭の柴垣を見渡せば卯花が美しく咲いていることです。

身分の低い者ゆえに人は現世の苦労を知り、真の憂いに思いを致すことができます。その憂いを知った者には神仏の光明が待ち受けています。

むかし見し人をそしのふやど近く
花橘《はなたちばな》のかほるおり〱

相模は昔つきあった人を思った。折から橘の花の香りが漂ってくる。別れた人を思っているといつもそこに永遠なものを感じる。一条帝にも感じた。定頼にも公資にも感じた。彼らは相模に代え難い何物かを与えて去っていった。

うくてよにふるの丶沼の菖蒲草《あやめぐさ》
ねかくる袖《そで》は乾《かわ》くまもなし

つらい世の中と思ってすごす沼に生える菖蒲草よ、そのつらさをかくす袖は涙で乾く暇もないことです。

神仏はいつも人のそばにいる。人が神仏を真剣に求めるとき、その慈悲の光は漏れることなく人を照らしている。

よるをしる螢《ほたる》はおほくとひかへと
覚束《おぼつか》なしや五月雨《さみだれ》のやみ

相模は西寺で騒いだ群衆のことを思った。口々に「盗人相模《ぬすっとさがみ》、物狂《ものぐる》い相模《さがみ》」と呼んでいた。彼らはいつ神仏にめぐり逢うのだろう。損得には皆、聡《さと》いように思える。しかし神仏を求めることについてはどうも疎《うと》いようだ。

早苗《さなえ》ひきもすそよこるといふ田子《たご》も
吾こと袖はしほとからしな

早苗を植える農民は裳裾《もすそ》が泥で汚れるというが、私の袖の涙ほどではないことです。
民衆の中には不幸な者もいるだろう。しかし、私ほどその不幸に涙を流した者はいないように思える。
足跡が絶え、茂り放題の夏草のようにたくさんの物思いをしているこの頃だ。

あとたえて人もわけこぬ夏草の
しけくも物を思ふころ哉《かな》

私が神仏を思い、その思いを伝えようとすればするほど、私は物狂い扱いされ、孤高《ここう》の身になる。

なきかへるしての山ちの時鳥《ほととぎす》
憂《う》世《きよ》にまよふわれをいさなへ

死出の旅に出てくるほととぎすよ。私は憂世を嘆き泣いてばかりいました。現世の執着に迷う私を、どうか浄土に導いてください。

かやり火は煙のみこそたちまされ
下のこかれは我そ侘《わび》しき

蚊遣火《かやりび》の煙がもうもうとたっています。それなのに密かに思いこがれる気持ちは下に留まり、侘《わび》しい気持ちです。

現世で大事だと思っていることは神仏からみると重要ではなく、現世で疎んじられている中に大事なことがある。現世の執着を離れ、神仏を思いこがれる。

一重《ひとえ》なる夏の衣《ころも》はうすけれと
あつしとのみもいはれぬる哉《かな》

夏は暑くてたまりません。一重の夏の衣は薄いけれど、それでもやはり暑いのです。しかしもうこれ以上の薄物はないので文句がいえません。

私の神仏を思う気持ちは未熟なものだ。もう、死期も近づいたようなので自分の信仰心は篤《あつ》いと言いたいのだけれど、やはり何でもお見通しの神仏には嘘《うそ》はつけない。相模は秋の歌を考えた。

ぬるかりし扇の風も秋くれは
おもひなしにそ涼しかりける

夏の暑い時には涼しさを感じなかった扇の風も、秋になると涼しく感じることができます。

自分の信仰心も、つらいことを嘆いているときには自分で自信が持てなかった。しかし、時がたち、落ちついて考えられるようになると、それなりの自覚が自然と湧いてくる。

織女《たなばた》はあまの羽衣《はごろも》おりかけて
たつとゐ《い》るとや暮《くれ》をまつらん

織姫は天の羽衣を織って掛け渡し、逢瀬《おうせ》を待ちわびて落ちつかず、年の瀬を待っているのでしょうか。私は今、牢の中で歌を書きながら落ちつかなく死出の旅を待っています。

色かはる萩《はぎ》の下葉《したば》をみるとても
人の心そ秋そしらるゝ

秋の萩の下の方の葉の紅葉を見てさえ人の心に飽きがくることがわかる。ちょっとした兆しで人の心変わりを知ることができる。

西寺で群衆を前にして歌を詠じた。一瞬の静寂ののちすぐに侮蔑《ぶべつ》の言葉が吐かれた。その心の移り変わりで、人の心が神仏から離れていくのを相模は感じることができた。

荻《おぎ》の葉をなひかす風のおときけは
哀《あわれ》みにしむ秋の夕くれ

荻の葉をひるがえす風の音を聞くと哀しい気持ちはつのってくる。神仏はその力によって群衆を自分の方になびかせようとすれば可能だが、それは一番拙劣《せつれつ》な方法だと嘆くだろう。自分は神仏の存在を伝え、魂の永遠に続くことを説くためにこの世に現れているのではないか。

我ことやいねかてにする山田守《やまだもり》
かりてふ聲《こえ》にめをさましつる

私の如く寝つかれないでいる田の番人よ。誰かが稲を刈り取っていて、その声にうつらうつらしていた番人も目を覚ましていることです。

当時、夜、稲を盗む者が絶えなかったので田畑を守る番人を置く習慣があった。牢の中で目をつむると普賢はいつも微笑しながら姿を現してくれる。きっと私はこれから浄土に向かう身なのだ。普賢のほほえみは私の因果《いんが》を刈り取る証なのだろう。

すきかてに人のやすらふ秋の、は
招く薄《すすき》のあれはなるへし

行き過ぎ難く人が立ち止まる秋の野は、見事なすすきが人を招くからだろう。人は普段神仏のことを忘れている。ふと自然の見事な景観に接すると立ち止まり、その奥に神秘なものを感じとるものだ。

浅茅《あさじ》原《はら》野わけにあへる露よりも
猶《なお》有《あり》かたき身をいかにせん

荒れた原野を吹く風にあたる草の露よりも、なおはかないこの身をどうしたものだろうか。相模はこの世に生を受けた不思議さを普賢より教えられた。永遠に続く魂の歴史の中でこの世に生をうけることは非常に稀なこと、その魂をいつも神仏が見ていると普賢は話すのだった。

秋ふかき夜《よわ》はのねさめはわりなしと
しらせ顔なる虫の聲《こえ》哉《かな》

牢の中で相模は時々不安になった。濡《ぬ》れ衣《ぎぬ》を着せられたまま処刑されてしまうのだろうか。どのように詮議《せんぎ》がされているのだろうか。そう思うと夜半に目が覚めた。夜中の目覚めはつらいものだと知らせるように虫の声が聞こえた。不安を覚えて普賢に伝えるとそ知らぬ顔をしている。大事なことはもうすべて相模に話したというのだ。

女郎花《おみなえし》さかり過《すぎ》たる色みれは
秋はてかたになりそしにける

花の盛りの過ぎたのを知れば、秋の終わりを知ることができる。牢番がやって来て「まもなく右大臣に刑の執行を仰ぐことになるだろう」と言った。相模はついに来るべき時が来たと思った。牢の外は激しく風が吹いていた。木の葉の散る音が牢の中にも聞こえてきた。相模は考えた。人は死期が近づくと落ちついて死を迎えるものと思っていた。あれほどつらい世の中だと言い、早く死にたいと願っていたのに、その死が近づいてくると心が乱れてくると歌った。

このはちる嵐《あらし》の風のふくころは
涙さへこそおちまさりけれ

相模は死ぬことが不安だった。普賢菩薩の像を盗んだと決まれば打ち首は免れないだろう。野辺での打ち首の様子を想像するだけでも身震いがした。恐ろしい顔をした刑吏《けいり》が刃を打ち下ろす。相模は何とか逃れたいと思った。外は風が強く吹いていて、木の葉が散っている。不安にかられて涙が出てきた。

いつも猶《なお》ひまなき袖を神無月《かんなづき》
ぬらしそふるはしくれ也《なり》けり

相模は不安にかられると、東国で出会った炭焼き女のことが思い出された。元遊女で夫に捨てられたが炭売りで生計をたてている女、あの女も不安だったろうと思った。また、内親王と旅をした時、泊まった先の元女房だったという親切な老女を思い出した。皆、不幸の底にいても明るかった。きっと二人とも今も元気でやっているのだろう。そう思うと少し不安が和らいだ。

此頃《このごろ》はをの丶わたりにいそく覧《らん》
冬まちかほにみえし炭やき

相模は死を迎える不安と神仏に身を委ねる安心の境地で迷っていた。目を覚ますと不安になる。神仏を思うと安心する。しかし夜になると目が覚める。そのような気持ちの中で詠んだ。

獨《ひとり》ぬる我身《わがみ》は霜《しも》にあらね共《ども》
冬のよな〳〵をきそゐ《い》らる丶

一人で牢の中にいるとさまざまな思いに襲われた。そして夜眠られずにいることだ。

雪をかぬ人の心もいかなれは
草より先にかれはてぬらん

雪を招かない人の心であっても草より先に離れていってしまうのでしょうか。神仏は森羅万象《しんらばんしょう》に慈愛の光を投げかけている。それならば肉体が朽ち果てることになぜ思い煩うのだろうか。

冬の池にうきねをしたる水鳥《みずとり》の
よ聲《ごえ》をきけは物《もの》そかなしき

思えば自分の人生は、冬の池で仮寝をした水鳥に似ている。いつも落ちつかず、憂いを嘆いて人生を送ってしまった。不安そうな声は切なく悲しいことです。しかし今考えると、随分と現世の思いに執着していたと感じることだ。

涙かはみきはにこほるうは氷
下にかよひてすくすころかな

相模は自分の辿ってきた道筋を思い涙を流した。涙は尊い生命を授けてくれた者への感謝の涙だった。氷の下で水が流れるように心の中で愛情が通い、涙を流していることです。

相模は牢の中で夢を見た。死んだ後、黄泉《よみ》の世界をさまよう自分の姿だった。そこでもやはり誰にも顧《かえり》みられず、憂いを嘆いている姿だった。何と無常なことだ。あの世でも煩悩《ぼんのう》を断ちきれずにさまよわなくてはならないとは。

埋火《うずみび》をよそにみる社《こそ》はかなけれ
きゆれは我も灰となる身を

（逃亡のすすめ）

牢番がやってきて鍵をガチャガチャいわせた。

数《かず》ふれは年のおはりに成《なり》にけり
我身《わがみ》のはてそいと、悲しき

ついに最後の時がやってきた。我が身の終わりは大層物悲しいものだ。しかし右大臣頼宗の言葉は相模の意に反するものだった。「どこか遠い所に逃げてほしい。私は人を使って相模が四天王寺《してんのうじ》の西門から入水《じゅすい》したと説明する」とやさしく言った。

「その白い衣をみせかけに使うので赤い衣に着替えてほしい」と言って赤の唐衣《からごろも》を差し出した。相模は何も言わずにその衣を受け取った。頼宗はなおも続けて「帰るあてはあるのか」と聞くので、相模は「奈良に知りあいがいるのでそちらに行く」と言った。頼宗は牢番に明朝早く鍵を開けるように命じた。牢番は頼宗の言葉を聞き誤ったのか夜半に鍵を開けた。相模は暗闇の中を赤い衣を着て出ていった。翌朝早く牢番は歌の書かれた紙を頼宗のところに持ってきた。

こくらくに向《むか》ふ心はへたてなき
西のかとよりゆかんとそ思《おもう》

頼宗にはそれが何を意味するのかすぐにわかった。頼宗は馬に乗り、使者をつれて四天王寺の西門に向かった。

(相模の最期)

四天王寺の西門には群衆が海を見て騒いでいた。口々に「相模だ。相模が入っていく」と叫んでいた。

遠浅の海を静かに相模は歩いていく。赤い唐衣がおりからの朝日を受けて光ってみえる。相模は表情一つ変えずに静かに入って行く。どこからか妙なる調べとともに清らかな女の声が響いた。突然、中空に大きな普賢菩薩の姿が現れた。ほほえみながら衣の袖で招いている。相模の頭の上には蓮の花が十一開き、その刹那《せつな》相模の体はふわっと波にさらわれると、その花の輪の中に入っていった。それきり相模の姿は見えなくなった。浜辺の群衆の中には畏《おそ》れ多くて泣き出す者もいた。頼宗は馬上からこの光景を見て、呆然《ぼうぜん》としていた。

頼宗はその後しばらくして出家した。後々も相模の遺体はあがらず、四天王寺西門には、相模普賢菩薩の塚《つか》ができた。

東北の旅を終えた後、この噂を聞いてかけつけた能因《のういん》は相模の入水《じゅすい》を知り、悲しんでこの塚の前で詠んだ。

山里の春の夕暮れきてみれば
いりあひの鐘に花ぞ散りける
（新古今和歌集）

能因は相模との別れを惜しんで、この塚の前で相模の歌をよく詠んだ。特に「うらみわひほさぬそてたにあるものを恋にくちなん名こそ惜けれ」の歌を多く詠んだため、その塚に往生を遂げんと訪れる女人が絶えなかった。塚の前では線香の煙が常に漂い、「厭離穢土《えんりえど》、欣求浄土《ごんぐじょうど》」の唱和《しょうわ》がうち続いた。

八　脩子内親王《しゅうしないしんのう》の応援《おうえん》――相模集《さがみしゅう》の編纂《へんさん》――

『物狂い相模の往生』を読んで脩子内親王は何も言わなかった。しばらくしてから内親王は話し始めた。

「相模、なぜ一人で戦おうとするの。なぜ一人で死ななくてはならないの。私、その話、認めない。私、その話、いいと思わない。まるで女の人は普賢菩薩がいなければ往生できないように思える。私、相模のおかげでたくさんのことを教えてもらった。歌の心がわかった。仏になるための心も知った。とらわれのない心や憐《あわ》れびの心を教えてもらった。けれど今、相模は一人で女人往生のために戦っている。それなのに貴族の人達は皆、知らん顔でいる。

なぜ私の母は死ななくてはならなかったの。道長が権力を使って母や父を苦しめたから。でもあなたは父や母を助けてくれた。母が困ったときも父が困ったときも立ち会ってくれた。

私、知っている。皆が往生したいと願い、その願いを相模はかなえようとした。相模は幼いころから私のそばにいて父母を助け、私を助けてくれた。今また道長の息子の頼通《よりみち》に嫌われ、私が嫌がらせを受けるのではないかと心配している。でも大丈夫。心配いらない。私は何より自分で生きていくことを教わった。誰から。それは相模、あなたから。あなたが私の先生だから。私は道長の許《もと》に行かず、叔父隆家の許に行った。十六歳の娘が自分で決断したのは相模、あなたがそばにいたから。あなたは幼いころから詩歌を学び、私に教えてくれた。歌は心をこめて作ることが大事だと私は知ったの。生きることも同じ。どの道を選ぶかは心をこめて選ばなくてはいけない。私は相模、あなたがそばにいるおかげで少し大人になれた。あなたがなぜ苦しんでこの『物狂い相模の往生』を書いたのかよくわかる。あなたは女人を往生させたいの。私、あなたが行った朝日山のそばに行った。あなたが登った朝日山を私も登ってみた。とても驚いたの。私が朝日山で見たのは道長が造った屋敷と頼通が造っている鳳凰堂。私にはその建物の群れが見えた。あなたの見た如来《にょらい》と普賢《ふげん》菩薩《ぼさつ》は見えなかった。でも私は信じている。あなたの心は確かに普賢菩薩を観《み》ていると知っている。なぜだかわかる。あなたの言葉は他の誰とも違うものを持っているの。それはあなたとつきあった人の多くが感じているはず。あなたは私を傷つけたくなくて、一人で往生しようと海に入っていく物語を書いた。私はその話を認めない。あなたを一人で海に放っておくなんてしない。あなたが海に入っていくなら私も入る。あなたが牢に入れられるのなら私も牢に入る。誰にもあなたを傷つけさせない」

相模は尋ねた。

「なぜそう思われるのですか」

脩子内親王は答えた。

「父と母は誰よりも広い愛情を持って私を育てようとした。だからあなたを私のもとに連れてきた。私の母は兄弟を守ろうとして道長と戦った。父は道長のせいで早く亡くなった。あなたはその父母を守り、私を育てようとして私のそばにいる。私はもう十分自分で考えることができる。今、あなたは困っている。いつか頼通に捕まるのではないかと考えている。捕まる前に入水しようとさえ考えている」

相模は脩子内親王の聡明さに驚いた。

「よくわかりますね」

脩子内親王は言った。低いが、しっかりとした声だった。

「許しません。往生するというのは、この世でなお生きることです。あなたはこの世での仕事が残されています」

「何ですか」

「女人に往生の道があることを伝えることです。すべての人に道が開かれていることを知らせることです。あなたは誰よりも歌で伝える力があります。私は多くの貴族の歌を聞いてそのことがわかりました。どうか相模、あなたの歌に命を与えてください。女の人の悲しみを慰める歌集を作ってください」。脩子内親王は相模に向かって頭を下げた。

歌集を編んでいるころのことだ。脩子内親王から定頼に相談があった。母、皇后定子と父、一条帝の歌を道長や頼通に気づかれないようにして、今作っている相模集に入れたいのだと脩子内親王は告げた。定頼は長い間考えていた。

その後しばらくして定頼は三条宮にやってきて話をした。「道長はことのほか自分の属する北家《ほっけ》を大切にしている。一番可愛がっているのは次女妍子《けんし》と末娘の嬉子《きし》だ。妍子は病気で身を清め、受戒を済ませたと聞く。いつか亡くなるとき妍子を悼む歌を挿入すれば、あの道長も歌集を認めるだろう。その為には妍子のそばにいる大和宣旨《やまとのせんじ》の歌をそこに収めれば、妍子の死を悼むものとして世の人は思うだろう。歌は一条帝が皇后定子を悼むものをいれておけばよいのだから。誰もこのことに気がつく人はいない。もし気がつく人がいれば千年後に私達に興味を持つ変わった人達だけだ」と定頼は話した。そこで一条帝が皇后定子に贈った歌は、他の人に気がつかれないようにして相模集に載ることになった。

その後、三条宮を訪ねた歌人、源経信《みなもとのつねのぶ》は脩子内親王から『物狂い相模の往生』を聞いて、女人往生のつらい話を明るい話に置き換えたことに感心して歌を詠んだ。「月ふり隠す雨に音して」と下の句を伝えると、相模は「唐衣袖こそ濡るれ秋の夜は」とユーモアを交え、巧みに返したと『経信集』は伝える。

「袖が涙でぬれるつらい秋の夜は、雨の音でつらさも隠されてしまいます。脩子内親王は私のつらさを知って慰めてくれました」と相模は内親王への感謝をかくさなかった。

九　序《じょ》の詞《ことば》を作る

相模は歌集の「序の詞」を考えた。まず、清少納言の枕草子の巻頭《かんとう》の言葉を読んだ。

「この草子　目に見え心に思ふ事を　人やは見むとすると思ひて　つれづれなる里居のほどに書きあつめたるを　あいなう人のために便なき言ひ過ぐしもしつべき所々もあれば　よう隠しおきたりと思ひしを　心よりほかにこそ洩れ出でにけれ」

（枕草子）

この草子は、人は読まないと思って、目に映り心に思うことを暇にまかせて書いてみた。全く無意味な役に立たない言い過ごしも所々あり、うまく隠したと思っていたが、心ならずも漏れ出てしまった。

相模は先輩の女房、清少納言が日常の中で観察し、率直な思いで書いたものが、他の人からみれば都合の悪いものとして思われることを強く感じた。確かに『枕草子』の中には、皇后定子を守るため不都合と思われる記述は見事に除かれていて、清少納言が強く戒めていたのを読みとった。

相模は考えた。私はこの『相模集』をどのように編集したらよいのだろう。清少納言は楽しさを書いていたが、自分とは違う。少し迷いながら普賢菩薩の姿を心に描きながら瞑想した。まず母や叔父の顔が浮かんで消えた。なつかしく思った。次に皇后定子と一条帝が並んで映った。二人とも笑顔だった。また、清少納言と則長の姿が浮かんで消えた。共に険しい顔をしていた。さらに公資と定頼の顔が浮かんだ。二人とも泣き顔だった。相模は少しつらい気持ちになった。最後に脩子内親王を思い浮かべた。笑顔がはっきりと心に残った。そこで、脩子内親王の言葉を思い出した。

「女人に往生の道があることを伝えることです」

普賢菩薩の姿が大きく映った。

「この本を待っている人がいる。この本を読んで、五障があって置き去りにされている人や病気の人が元気になる」と思い直した。相模はしっかりと筆を持ち、背筋を伸ばして「序の詞」を記した。

十　脩子内親王の死

脩子内親王は段々と食が細くなり、痩《や》せていった。相模は心配して食事を十分とるように勧めたが、内親王は水だけを取るようになった。

永承四年（一〇四九年）一月の末、伏すことの多くなった脩子内親王は、相模を呼んだ。親王は一つ一つ言葉を区切るようにして話をした。

「相模、私はそろそろお迎えがやって来るでしょう。果たして浄土へ行くことができるでしょうか。女人《にょにん》は女人のままで往生できるとあなたに教えてもらったけれども、果たして私はここにいて往生《おうじょう》できるのか心配です。貴族は皆、往生するのに夢中になって念仏を唱えています。もし浄土がどこなのかわからなくてこの世をさまようことがあれば、あなたは私を仏の所に導いてください」

脩子内親王は熱心に頼むのだった。相模は頼まれるたびに

「大丈夫です。あなたは道を誤って往くことはありません。私はそばにお仕えしながら内親王の浄土へ向かう旅を見守っております」と答えた。

脩子内親王は二月七日に五十四歳の生涯を閉じた。その死を悼む小侍従命婦《こじじゅうのみょうぶ》と相模の歌が『後《ご》拾遺集《しゅういしゅう》』に残っている。

葬送《そうそう》の地、鳥辺山《とりべやま》に霞《かすみ》がかかり、曇っていて悲しい。夜通し薪《たきぎ》をくべるが、薪も君が世も尽き果

てるのを見るのは悲しいと小侍従命婦は詠んだ。

晴れずこそ悲しかりけれ鳥辺山《とりべやま》
立ちかへりつる今日の霞《かすみ》は
（御拾遺和歌集）

古《いにしえ》の薪《たきぎ》も今日《きょう》の君《きみ》が世《よ》も
つき果てぬるを見るぞ悲しき
（御拾遺和歌集）

相模の歌は、脩子内親王の葬送《そうそう》の日が他の時もあるのに、よりによって二月十五日釈迦入滅《しゃかにゅうめつ》の日で、夜半の煙は内親王の浄土への旅で「疑いもなし」と詠んでいる。相模の思いの詰まった歌だ。

時しもあれ春の半ばにあやまたぬ
夜半《よわ》の煙は疑《うたが》ひもなし
（御拾遺和歌集）

相模は脩子内親王が浄土に向かい、旅立ちながら相模に何度も袖を翻《ひるがえ》しているように感じた。そして、その顔が笑って消えていくように見えた。あの朝日山で見た普賢菩薩《ふげんぼさつ》のように光って見えた。

しばらくして相模は脩子内親王が相模にあてて書いた手紙を見つけた。手紙には、

「相模へ

あなたの激しい思いは私に生きる望みを与えてくれました。あなたの求める侘歌《わびうた》のお蔭で、この世から離れた世を遥か遠くから見ることができるようになりました。私に生きる望みと往生する術を教えてくれたことを感謝します。どうぞこれからもよりよき歌を生み出していってください。また私の亡くなった後で、養子の延子《えんし》のもとに衣《ころも》づつみを届けてほしい」と書かれていた。

葬儀が終わってまもなく、相模は衣づつみを延子に届けた。延子は静かに包みを開いた。中から出てきたのは檜扇《ひおうぎ》が一つと若草色の一冊の草紙と美しい普賢菩薩の仏画だった。内親王がいつも手を合わせていたものだった。草紙には脩子内親王の筆で鮮やかに「相模集」と書かれていた。延子は相模に丁寧に礼を言った。

相模は延子の手にした『相模集』が周囲を照らすように光を放っているのを感じた。

Ⅳ

藤原定家《ふじわらのていか》・相模《さがみ》の歌《うた》を記《しる》す

相模の歌が真に理解されるようになるのは、相模没後およそ二百年たって、新古今和歌集の編者の一人、藤原定家による『相模集』の写本の編纂を待たねばならなかった。

定家は、ある時六波羅蜜寺《ろくはらみつじ》を訪ねた。心の中に普賢菩薩の像が現れた。辺りを竹やぶが包んでいた。

衣の袖を動かし、あたかも定家を招いているようだった。不思議に思い、定家はあたりを調べさせた。深い竹やぶの中から一体の朽ちた木像が出てきた。よく見るとそこには歌が書きつけてあった。

うらみわひほさぬそてたにあるものを
恋にくちなん名こそ惜けれ　　相模

不思議に思った定家は、その像を密寺の一室に安置してその日は帰った。

その晩、定家の夢の中に美しい女性が現れ、定家に次々と歌を読みきかせた。あまりにみごとな歌なので定家はその女性に「読むのを待ってくれ、今、書き記すから」と頼むとその女性はにっこり笑い、「全部思い出すことができます」と言うと読み続けるのだった。

不思議に思いながら聞いていると、その女は三十首余り読むと笑いながら去っていった。

翌日、定家は夢の中の歌を思い出そうとして筆を持つと、果たしてすらすらと全部の歌を書きとめることができた。それが次の歌である。

定家の書きとめた歌三十余首

数《かず》ならぬ身の理《ことわり》をしらさらは
恨みつへくもみゆる君《きみ》哉《かな》

自分が神仏から見捨てられた者と思っていたので、つらい人生と恨み続けてすごしてしまいました。

とひわたる人もやあると人しれす
まつに音せぬ都鳥かな

自分の侘歌《わびうた》の意味を問う人があるかと思って待っていたけれども、定家を除いて誰も真意を尋ねる人はいませんでした。

人もうし我身《わがみ》もつらしと思ふには
裏《うら》うへに社《こそ》袖はぬれけれ

誰も自分の人生こそ人一倍つらいものだと思って暮らしています。しかし一番つらいのは陰ながらそれを応援している神仏だということを誰も知りません。

我ことやうきにつけても忘れぬと
形見《かたみ》につらくみえまし物《もの》を

私の如《ごと》きものを神仏は忘れまいと、必死につらい思いをしてくれたことが今、この浄土に来てわかりました。

あふことのかたきになれる人は猶《なお》
昔のあたと思ほゆる哉《かな》

この浄土に来ても逢えない人もいます。それは現世での因果《いんが》によるものと思います。

忘れ草たねを心にまかせてや
わかためにしも人のしけらす

どうか、憂いを忘れるという草の種を人の心に蒔《ま》かせてください。神仏を信じられないという人の心に蒔かせてください。それは人の成長のためでもあり、また私のためでもあります。

身にしみて辛《つら》しとぞ思ふ人にのみ
うつる心の色にみゆれは

み仏の声は身にしみて人生をつらいと思う人に現れるものです。その発する光には色がついていて、仏にはその合図がわかるのです。

はやくよりしたのうらみは深けれと
上そつれなき淀《よど》川《がわ》の水

現世でのつらい試練の数がまだ少ないのに、人はつらいと恨み言を述べるものです。しかし、神仏からみれば本人にとってはまだ試練を十分経ていないと考えて、つれない態度を取ることもあります。

あかし浜いくらかさねにあらね共《ども》
恨そつくす人の心を

明石の浜から、相模のように女人往生を遂げようとする者が絶えなかった。そのことに相模は言い及び、たとえ現世を厭《いと》い往生を遂げようとする者の数が多くても、現世での恨みを出し尽くして浄土に行こうとするのはその動機からみて神仏は責めるものではないのです。

一時《ひととき》もうたてなけかしと思へ共《ども》
ならひにけれは忍はれぬ哉《かな》

浄土に来てからは、前世の嫌なことは思い出すまいと思うのですが、自分の習い性でしょうか。あるいは定家から尋ねられ思い出したせいでしょうか。やはり前世を思い出して嘆いてしまう自分なのです。

ひまなくそ難波《なにわ》の事も歎《なげ》かる、
こやつの國《くに》の芦《あし》のやへふき

相模は浄土から能因の様子がみえた。四天王寺の西門の前にある相模普賢菩薩の塚の前で相模の侘歌《わびうた》を読んでいた。その姿を見ると相模はうれしいような悲しいような気持ちになった。現世ではいつも時間がなくてすれ違いだった。それにもかかわらず能因は私の歌を理解し広めようとしてくれる。彼は芦《あし》の八重《やえ》ぶきの家に住み、質素な暮らしをしている。彼の行く先に神仏の祝福があることを祈る。

世中《よのなか》をうち歎《なげ》きつゝあふみなる
安《やす》きこととはねをのみそなく

浄土からみると、俗世を送るのは容易なことではない。肉体の衣を着て五官のみしか頼ることができず、なかなか神仏に会うことができない。恋の仲立ちで名高い野洲《やす》のかけはしに心をかけて願うばかりで嘆いていますと詠んだ。私のようにつらいことばかりと泣き嘆く人生を送ってしまうと。

音に聞くやすのかけはしかけてのみ
歎《なげ》きそ渡る心ひとつに

しかし、精神を集中させて神仏に頼めば、現世でも心の休まる場所は得られるはずだ。

すかはらやふしみを君かことくさに
うち歎《なげ》かるゝ事や何事

精神を集中すれば神仏に出会えるにもかかわらず、人は自分のいる場所を菅原にある伏見の里の言葉のように、スゲの生えている原野だとか病気で伏せって起きられないと嘆いているが、いったい何事なのだろうか。

とことはに絶《たえ》ぬ歎《なげき》は山しろの
くせになりぬる心地《ここち》こそすれ

浄土に行って思うことは現世での癖が抜けきれないことです。ここでも私は時として恋に溺れ、恨んだり侘《わ》びたりしているのですから。

思ひきやしらぬ山へをなかむとて
都恋《みやここい》しきねをなかむとは

相模は浄土に行って見たこともない美しい山々を眺めることができた。かつて京で眺めた稲荷山や音羽山によく似ていた。京を思い、恋しくなって泣いた。

かつきする蜑《あま》のたくなはうちはへて
物《もの》歎《なげ》かしく思ほゆる哉《かな》

浄土にいる相模からみると、その時代の女の人は恵まれないように思われた。職業も制限された。子供を育てるにしても夫が必ずしも誠実とは限らなかった。社会そのものが男中心の社会であった。歌にしか自分の思いを表現する術《すべ》がなかった。生きる場所も摂関政治の権力者にならんとする者のお守り役としての場所しかなかった。女の人が一人前に扱われてはいなかった。それを嘆いた。

ここでは潜水する海女の打《う》ち縄《なわ》が段々と延びて、女に負担がかかっていく世のありようが悲しいと言っている。

いともけに覚束《おぼつか》なしや目に近く
うきをはみしと思ひし物を

前世ではいつも不安で目の前のことを思い悩み嘆いていた。つらいことをどこかで逃げようとしていた気持ちがあったからだろう。目の前に救うものがありながら、ただ気がつかなかったにすぎない。

しはしたに慰《なぐさ》むやとてさころもの
返す〳〵もなをそ恋しき

前世ではつらい事があるといつも普賢菩薩が衣の袖を翻《ひるがえ》しては私の心を慰めてくれた。今、浄土に来ると、そのようなことはない。あの衣を見た時の気持ちが今も思い出される。

小莚《さむしろ》にふしていをたにいもぬれは
恋にしくもの又なかりけり

相模は浄土から恋愛賛歌《れんあいさんか》の歌を定家に送ってきた。
小さな莚《むしろ》で眠れないときは、恋人と情事をすることこそ人生で最高のことだと。定家は苦笑いしながらも書きとめた。すると相模はくり返して伝えてきた。

くりかへし我はこふれともろかつら
もろ心なる人のなき哉《かな》

私は誰とでも恋愛したいというのではないのです。私は自分と同じ意識、教養を備えた人と恋愛をしたいのです。残念ながら今は見つかりません。

いつとなく恋するかなるうと濱《はま》の
うとくも人の成《なり》まさる哉《かな》

相模はあの世でも公資《きんすけ》に出逢ったようだ。しかし、公資は前世のことを忘れたのか自分のことを確《しか》と見定めないような気がする。うど浜は駿河にある有度浜《うどはま》のことである。

命たにあらはと計《ばかり》たのめ共《ども》
なにかこのころ恋《こい》そしぬへき

公資との恋の成就《じょうじゅ》を浄土でも復活させようと思い、逢える日もあろうかと頼りにしているがうまくいかず、恋い死にしてしまいそうです。

つれもなき人をもしもやは忍ふへき
ねたさもねたきわが心哉《かな》

それでも公資との生活を偲んでいると、つれない人に対し恨み心が湧いてくる。

下紐《したひも》のゆふてたゆくや思ふらん
ねてもさめてもわかこふる人

浄土でも相模の恋情《れんじょう》は時々ひどく募るようだった。寝てもさめても公資のことを思うと、心が定まらない。下裳《したも》の紐《ひも》が自然にとけて恋人に逢える気がする。

こふれ共《ども》ゆきもかへらぬ古《いにしえ》に
今はいかてかあはんとすらん

浄土で、相模は二度と戻ってこない思い出にひたることができるだろうかと自問していた。

身の憂《うき》を思はぬ山にゆきしより
涙をさこそと丶めさりけれ

浄土では古の思い出を現実のものとすることができるようだった。あの世から、安楽を求めて人生を送ろうとするのが見える。しかし、それは成長発展する道ではない。そう思うと安楽な道を辿ろうとする人を思い涙が溢れる。

くみしより心つくしになけく哉《かな》
君ゆへものをおもひそめ川

このころ、相模はあの世の仲間から歓迎の祝福を受けたのであろう。その心尽くしに感謝し、神仏の深い思いやりに感じ入った。

あつまちの浅間《あさま》の山にあらね共《ども》
思ひにもゆる胸そ侘《わ》ひしき

浄土で公資のことを思い、相手に伝わらないと嘆いている歌である。

思はゝや苦しやなそと思へとも
いさや侘《わ》ひしやむつかしの世や

思えば現世は苦しい所であった。それはなぜかと思うけれど、そのことはさておいて心寂しく神仏を思うにも難しい試練の場所であった。

相模は、「これは子供っぽくて可愛らしいことを書きつけて人に知らせるのは恥ずかしい」と言いながら定家に伝えてきた。

秋の末のころ、遥かな田舎に下野《げや》する人が五節の舞姫を出すとて上京してきたことを恨んだことがあった。

どうやらこれは公資が相模の誤解をとくために、もとの愛人を連れて相模の所にやってきたことをさすらしい。

秋たちて　過にしのちは　神無月　しくれのみして
とを山を　雲井はるかに　なかめつゝ　思ひいつれは
わか袖の　くちはをなにゝ　かきつめて　あらしのかせに
まかせてん　ちらすところは　なしとのみ　きくにつけても
霜かれて　うつろひはてし　まかきにも　をき所なき
露の身は　さゝのつらゝと　結ほゝれて　きえみきみすみ
まちしまに　山ゐにすれる　おみころも　きみかためとは
きゝなから　きへき物とは　へたてつゝ　とよのあかりも
しられねは　おほつかなしと　なけきしは　さてもありしを
なか〱に　くやしさまさる　このたひの　ゆめをはいかて
ちかへまし　よろつにつけて　たけからぬ　ねをのみなけは
とこの浦の　ひるまもみえす　みつしほの　身をうき舟と
こかれつゝ　ゆくゑもしらぬ　心地して　いまはみるめを
かりにたに　かつかむかたも　なきさなる　わすれかひをは
わかために　ひろひをきける　いせの蜑の　いとまもなみに

ことよせて　をとをたにせて　かへるらん　つらきなこりを
かきとめて　ぬるゝしつくの　つく〳〵と　思ふにもなを
あやしきは　池のをしとり　みなれつゝ　したにかよはぬ
ものゆへに　かけ見きとのみ　あさましく　いひもらしける
ことのはに　野中の水も　いとゝしき　みくさのみゐて
たえぬれと　よしやかけても　いはしろの　むすひまつなる
なかなれは　そのゆかりをは　かこたねと　しめのほかにて
ひきそめし　下根はかれにし　むらさきに　さしおとろかす
ひさかきの　はひよりもけに　われそくたくる

秋になって神無月《かんなづき》のころになった。涙ばかり流して雲の遥か遠い山々を眺めながら来し方を思い出せば、激情が走り悲しみの言葉を書きつける術がない。霜枯れて、色変わりした垣根に身を置こうと思っても、置くべき場所もない。

霊魂《れいこん》になった私の身は、笹につくつららとなり、消えまた現れるのを待っている間に、山あいにある祭りに着る衣は、神仏のためとは知っていたが、自分が着るとは思わず、遠く離れた豊の明かりの節会《せちえ》に行こうと思っても、まだ霊魂になって慣れないので、どのように行ったらよいのかわからず、困ったことだと嘆いているうち、なぜかくやしさが高じてくる。

自分の死んだことがわからないため、霊魂の世界への旅がどうしても本当だとは信じられない。何事につけても、神仏の勢いのある声が聞こえる。永遠の思いを持っていても、どこへ行ったらよいのかわからず、満ちた潮の上に浮かぶ舟のようにあちこちに漂いながら、つらい世と思い、神仏を求め、どこへ行くのかわからない自分である。

しかし今は、仮の世の私の生を預けた神仏が前世の私の因果《いんが》のために、涙を流していることがわかる。まだ霊魂の修行する時間が足りないので、いつか伊勢のあま人と理由をかこつけて、たよりもなく、転生《てんせい》して地上に還《かえ》るであろう。

つらい現世での思い出を書きとめていると涙が流れて、つくづくと思うにも、なお不思議なことは、夫婦はお互いに見慣れていても現世で心が通いあっていると思って霊界で相手の姿を見ると、本来霊魂は独立したもので、現世でのつながりは何の頼りにもならず、見苦しく言葉をかけてしまう。野中の水も少しずつ水草だけが残ってなくなってしまうように（現世で契《ちぎ》った夫婦は一人が欠けても岩代の結松のような仲なので、その縁は恨まないけれど）神のしめ縄の外で、誓った愛情が枯れてしまうことは、榊《さかき》を焼いてできた紫の灰よりも、なお私を落胆《らくたん》させることだ。

五月雨《さみだれ》はみつのみまきの真菰草《まこもぐさ》
かりほす隙《ひま》もあらしとそ思《おもう》

五月雨は牧場にもまこも草にも降り、刈り取って干す暇もありません。天皇といえども藤原摂関家に押されて逃げ惑うことがあります。
神仏の慈愛《じあい》はあらゆる所に及んでいます。自分の因果は自分で刈り取らなくてはならず、それを初めて知った時、驚いて嵐のようにさえ思われることです。
たくさんの霊魂《れいこん》が地上に降りてきます。さまざまな方法で霊魂の真理を伝えようとしています。残念なことにうまく伝わらず、普賢菩薩の示現《じげん》すら天変地異《てんぺんちい》の前ぶれの嵐としてしか伝わらないのです。

のかはねとあれ行駒《ゆくこま》をいかゝせん
もりの下草盛《さか》りならねは

地上の人間は神仏から放し飼いにされているのではありません。この時代の気持ちの荒れようを神仏はどのようにしたものかと悩んでおられます。森の下草《したくさ》も元気ではないので、私のように普賢菩薩の使いとなる者が、力を蓄《たくわ》えて法を述べ伝えてゆかねばなりません。

夕暮はまたれし物を我はたゝ
ゆく覧《らん》かたをおもひこそやれ

地上にいて、年老いたり病気であったりして元気のない人に伝えます。

死は決して恐れるものではありません。神仏を思い永遠の生命を思いやる時、死はこの世の修行を経た祝福すべき門出として考えてください。そして、どうか永遠の生命を授けた神仏を思いやって、その死を迎えてください。

たひ〳〵に君が千年《ちとせ》やまさる覧《らん》
末《すえ》の松よりいきのまつ原

生命は永遠に続くものです。どうか末法《まっぽう》の世と悲観《ひかん》して神仏を頼ることなく、地上の尊い生活を全《まっと》うし、現実の生活を生き生きと送る中でその霊魂の成長を育んでください。

さて、この相模の歌は他に残されていないのだろうかと定家は手を尽くして探すと、内裏《だいり》から小さな草紙が一つ出てきた。その序の詞書《ことばが》きにこう記されていた。

いとわれはかりとのみおほゆる。あつさの杣《そま》にくちはてにける深山木《みやまぎ》を。いかにとはかり。小高き陰もやと。たのみしおりは。残りゆかしう。花もみ□雨かせにつけても。おのつから散る言の葉をかきをきたらは。みくす。にようらん流れなりとも。浅きかたにやと。せきと丶めてしを。あいなう袖に涙のか丶りける身にと思ひしられはてぬる折しも。面なきことを。今更に心もとなき水茎《みずくき》のあとにまかせて。あらはしてんも。いとうしろめたけれと。けふや我世のとのみ物哀なる露の命にをくれんなかに。もし思ひてん人もしあらは。人しれぬ形見ともなれかしとてなん。忍ひもはてすなりにける。昔のことをは忘れはてにけれは。いまさらのをたにもと思ふほとも。なをふるめかしき。

私ばかりだと思います。近江《おうみ》の木の茂みで死に絶えた深山木《みやまぎ》をどうか小高い丘に葬《ほうむ》ってほしいと頼んだ折に神仏は、「散った後の美しい紅葉のように風雨にさらされても自分の心より出る言葉を書きおいておけば、霊魂《れいこん》の力によって流れにのり、浅い方に寄りたいと願えばちゃんとせきとどまる」と教えてくれました。

わけもなく涙にぬれている私に、神仏の慈愛《じあい》がふり注がれている身だとわかって死に果てる折、あつかましいことではありますが筆の走るのに任せて表してみました。

大変うしろめたいけれど、まもなく散ってしまう命であるので、私のことを思い出す人がもしあれば、人知れぬ形見《かたみ》となればと思って書いてみました。昔のことを忘れてしまった今、改めて思うことすら古めかしい気持ちがするのです。

一首目には

　こくらくに向ふ心はへたてなき
　西のかとよりゆかんとそ思ふ

と記されてあった。なるほど序《じょ》の詞《ことば》は相模の遺言《ゆいごん》で、一首目の歌は普賢《ふげん》を訪ねて極楽浄土《ごくらくじょうど》に旅立ったのかと得心《とくしん》した定家は、あの普賢菩薩《ふげんぼさつ》の像に書き記されていた一首を最高の作として小倉《おぐら》百人一首《ひゃくにんいっしゅ》に残すことにした。

うらみわひほさぬそてたにあるものを
恋にくちなむ名こそ惜《おし》けれ

人は誰も他人を恨んだり、またそれを省《かえり》みて自らの心をいとおしんだりします。誰にでも神仏の霊が宿り、誰にでも神仏の慈愛の光が及んでいるのに、人は神仏を忘れ人の恋に溺《おぼ》れて死んでいきます。この時代の人のその行為が何とも悲しく思われます。

この歌の意味を真に理解したのは、脩子内親王と能因を除いて藤原定家しかいなかった。

完

参考文献

①大山寺本　後拾遺和歌集とその研究　藤本一恵著　桜楓社
②歌合集（日本古典文學体系74）萩谷朴・谷山茂校注　岩波書店
③枕草子（日本古典文学全集18）校注・訳 松尾聰・永井和子　小学館
④相模　武田早苗著　笠間書院
⑤能因　高重久美著　笠間書院
⑥五節の舞姫　平安時代の五節舞姫　服藤早苗
⑦脩子内親王の文化圏「枕草子」の善本所蔵に関連して　高橋由記
⑧貴族の世紀（日本歴史全集5）橋本義彦著　講談社
⑨平安朝の生活と文学　池田亀鑑著　角川書店
⑩相模集全釈　武内はる恵・林マリヤ・吉田ミスズ共著　風間書房
⑪漢詩百首　高橋睦郎著　中公新書
⑫唐詩─心のリズム　松浦友久著　社会思想社

「主要な人物」

相模《さがみ》：本作の主人公。平安時代の歌人。夫、大江公資に随行し相模の国（神奈川県）に行き、「相模」と呼ばれる。幼名は乙侍従《おとじじゅう》。

脩子内親王《しゅうしないしんのう》：一条天皇と皇后藤原定子の子（第一皇女）。一条天皇から特別かわいがられる。相模集を編纂《へんさん》。

一条帝《いちじょうてい》：六十六代の天皇。藤原道隆、道長の権勢が最盛の時代で平安女流文学が花開く。文芸、音楽に関心を寄せる。やさしい性格で多くの人に慕われる。相模の詩作を評価。

皇后定子《こうごうていし》：藤原道隆の娘。一条帝の后。脩子内親王、敦康親王、媄子内親王の母。

大江公資《おおえのきんすけ》：相模の夫。官吏で相模守《さがみのかみ》、遠江守《とおとうみのかみ》となる。歌人。のち相模と離別。

藤原定頼《ふじわらのさだより》：相模の恋人。位階の高い官吏。歌人。藤原公任《ふじわらのきんとう》の長男。

能因《のういん》‥　歌人。僧。相模の友人。歌枕についての歌学書を作った。

藤原定家《ふじわらのていか》‥　鎌倉時代の歌人。歌学者。新古今和歌集の選者の一人。相模集の写本をまとめる。

清少納言《せいしょうなごん》‥　平安時代の女流文学者。随筆「枕草子」がある。皇后定子に仕える。相模の仕事の先輩。

橘則長《たちばなののりなが》‥　清少納言の息子。能因の友人。若い時、相模の恋人。歌人。官吏。

慶滋為政《よししげのためまさ》‥　相模の叔父。文章博士《もんじょうはかせ》。相模に詩文を教える。

藤原道長《ふじわらのみちなが》‥　平安時代の政治家。娘を次々と立后させ、摂政、太政大臣となって栄華を極め、藤原氏全盛の時代をつくる。

藤原顕信《ふじわらのあきのぶ》‥　藤原道長の三男。

登場人物・相関図

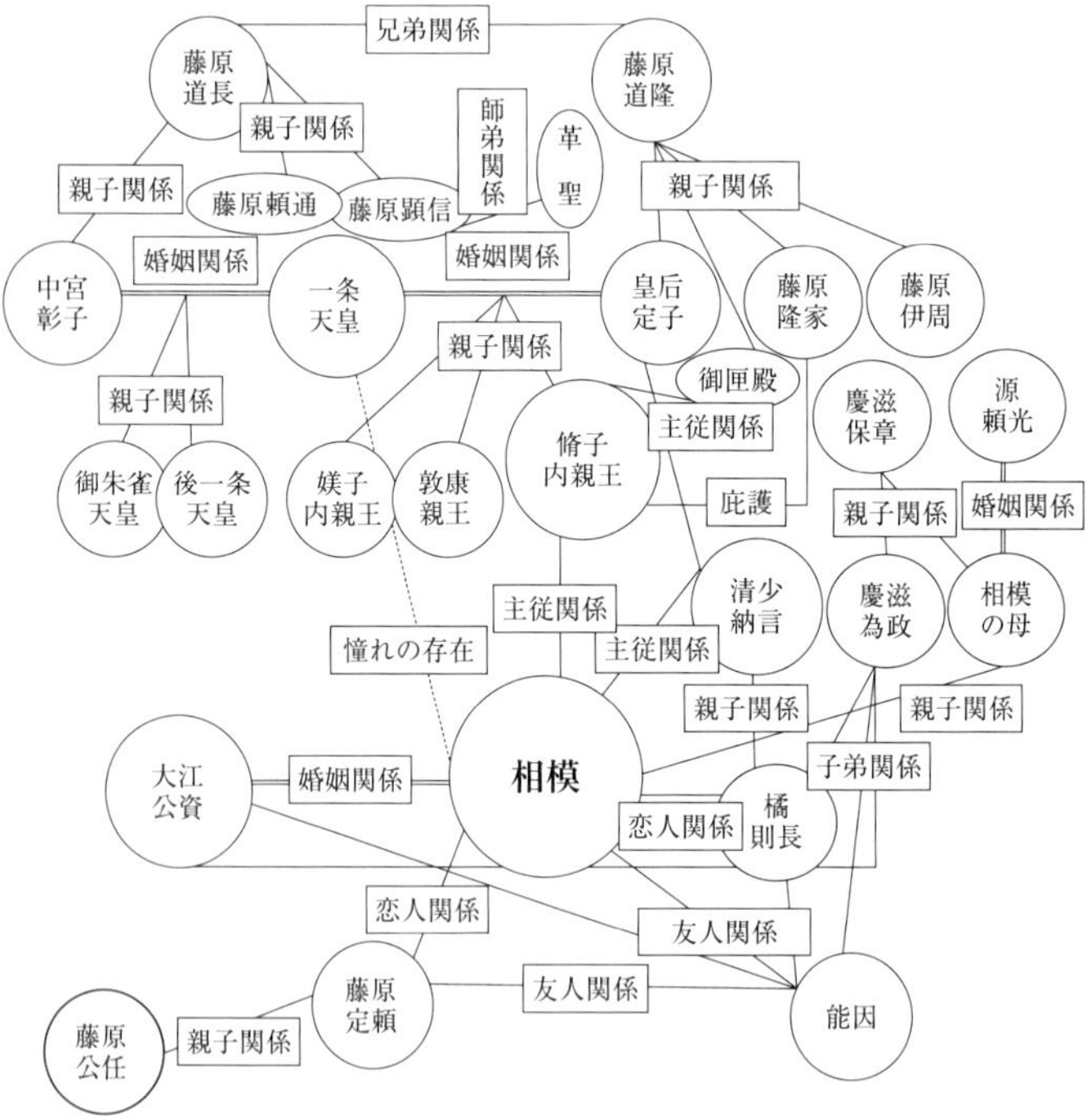
兄弟関係
藤原道長
藤原道隆
親子関係
師弟関係
革聖
親子関係
藤原頼通
藤原顕信
親子関係
婚姻関係
婚姻関係
中宮彰子
一条天皇
皇后定子
藤原隆家
藤原伊周
親子関係
御匣殿
親子関係
主従関係
慶滋保章
源頼光
脩子内親王
御朱雀天皇
後一条天皇
媄子内親王
敦康親王
庇護
親子関係
婚姻関係
清少納言
慶滋為政
相模の母
主従関係
主従関係
憧れの存在
親子関係
親子関係
子弟関係
大江公資
婚姻関係
相模
橘則長
恋人関係
恋人関係
友人関係
藤原定頼
友人関係
能因
藤原公任
親子関係

皇室系図

『枕草子』新編日本古典文学全集18　小学館より抜粋

定子皇后（藤原道隆女）＝一条天皇
- 脩子内親王
- 敦康親王
- 媄子内親王

一条天皇＝彰子中宮（藤原道長女）
- 後一条天皇（敦成親王）
- 御朱雀天皇（敦良親王）

賀茂氏系図

『相模集全釈』私家集全釈叢書12　風間書房より抜粋

慶滋保章
- 慶滋為政
- 女子（相模母）―相模

源氏系図

『定頼集全釈』私家集全釈叢書6　風間書房より抜粋

源満仲―源頼光
- 頼国
- 女子
- 女子
- 女子（相模）

藤原氏系図

『枕草子』新編日本古典文学全集18　小学館・『相模集全釈』私家集全釈叢書12　風間書房より抜粋

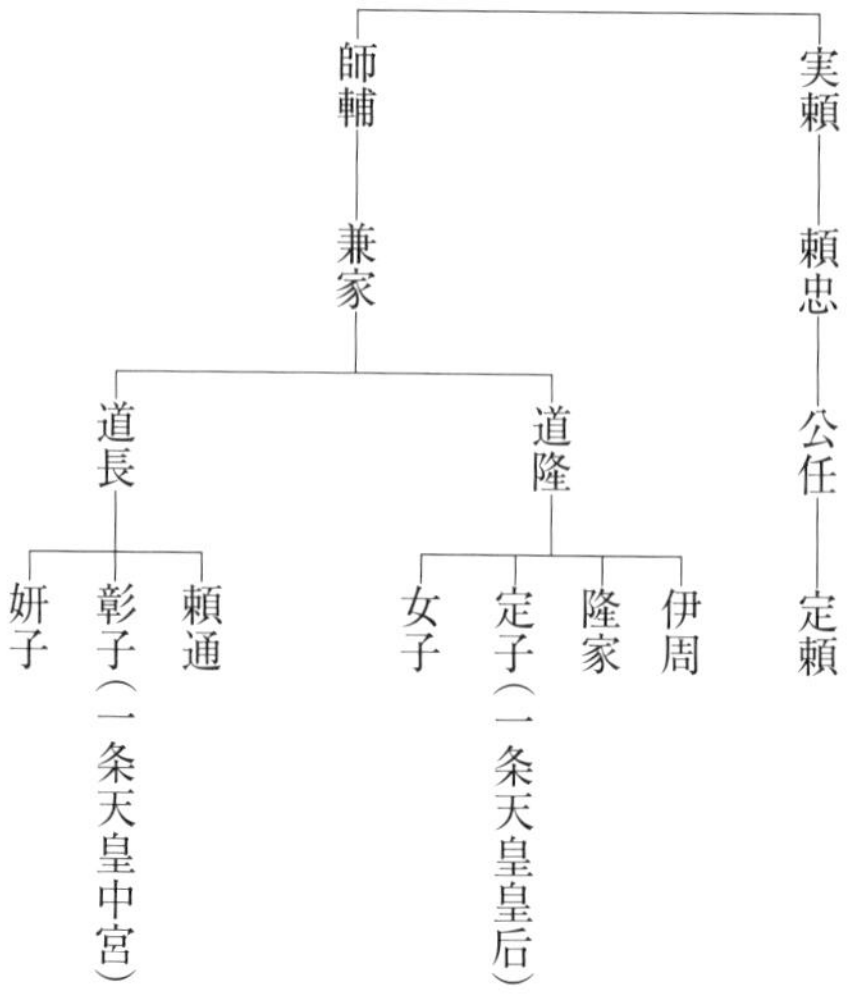

大江氏系図

『相模集全釈』私家集全釈叢書12　風間書房より抜粋

音人――千古――維明――仲宣┬清言――公資
　　　　　　　　　　　　　├正言
　　　　　　　　　　　　　├以言
　　　　　　　　　　　　　└嘉言

あとがき

本書は平安時代の歌人相模《さがみ》が作った『相模集《さがみしゅう》』『思女集《しじょしゅう》』を中心に歌を選び、他の歌集からも補い、現代の人に伝わるように物語としてまとめたものです。

相模は今からおよそ千年前に活躍した女流歌人で、小倉百人一首《おぐらひゃくにんいっしゅ》に歌があることで有名です。女房として脩子内親王《しゅうしないしんのう》に仕え、数多くの歌合に出場したといわれています。詳しい経歴や生没年は不明です。現存するのは私家集として『相模集』『思女集』があり、併せて六百余首の歌が残っています。また後拾遺和歌集《ごしゅういわかしゅう》、千載和歌集《せんざいわかしゅう》、新古今和歌集《しんこきんわかしゅう》、新勅撰和歌集《しんちょくせんわかしゅう》、玉葉和歌集《ぎょくようわかしゅう》やその他多くの歌集に歌が残っており、当時歌人として指導的地位にあったようです。『相模集』は歌人相模の愛憎を中心とした私撰集《しせんしゅう》としてのみ扱われておりますが、一つのまとまった物語として作られたように思います。それは夫や恋人との死別、離別をくり返す中で、悲しみを見据え精神的成長を遂げる過程の心の叫びの記録のように読めます。この心の叫びを忠実に再現したいと願い、出来上がったのが本書です。

本書を作るにあたって考えた点を以下に記します。

人の内面に価値を見出す作業が哲学や宗教の一面とするならば、相模の歌もあるいは哲学的で宗教性を帯びているのかもしれません。

和歌は漢詩の影響を受けていましたが、漢詩の中には人生のはかなさ、悲しさの記述がみられます。和歌には古くからこのような性質を持つものがありました。相模の歌がすべてこれにあたるのかどうかわかりません。しかし、身のまわりに起きる事象をきっかけとして人の内面の奥深くに踏み込む歌が作られたのは、和歌が成熟しその時代の精神をあらわすまでに高まったからだといえます。

歌には時代を創り出す精神がこめられていました。その精神はあらゆる分野に及びました。建築物や絵画、文章、音楽等芸術のあらゆる分野にその精神は生かされていきました。やがて当時の考え方に即した多くの風俗、習慣、生活様式は変わっていきました。当時造られた建築物の多くは崩壊し、人はいなくなり、歌合といわれるものもいつしかなくなりました。

精神には形がありません。その当時存在したものを同じように復活させることは困難です。存在するのはそれを伝える記録だけです。優れた歌人は記録の為の道具の効能を述べません。心に沁みる歌を残すだけです。それは弱さをあらわすようにみえます。歌の内容も一見矛盾しているようです。しかしその実、常に遠い前方に身を置いています。個人的な装いをとりながら、個人的な内容から離れています。精神の閃《ひらめ》きを知ってなお泥流に留まり、より広い世界を紹介しようとしています。

迷いの中の歌は清新《せいしん》ではありません。混沌としていて美から外れます。その時代の人々が追い求めていた美意識とは少し違うようです。しかし誠実に記録しています。暗い中でもがき、手探りで明るさに辿りつこうとしています。迷妄《めいもう》の行き着く先に心の平静さがあることを歌人は渾身《こんしん》の力をふりしぼって伝えようとしています。

時代を創った精神がありました。それは人をとらえました。歌を詠《よ》み、喝采《かっさい》した人がいました。涙を流す人達がいました。多くの歌合が行なわれました。相模の歌を聞き、その中に秘める力強さを感じとった人間達がいました。我国には豊かな時代があり、時代の風と戦った人達がいました。それを伝統と呼ぶことができます。伝統は常に継続して存在しているのではありません。しかし心の奥底にその痕跡《こんせき》は留まっているものです。人がこれを求めるとき、それは蘇《よみがえ》ってくるものです。丁度遠い過去の思い出を辿るのに似ています。時代を創り出す精神は自由への希求《ききゅう》です。永遠なるものに祈りを捧げ、歌人としての果たす役割を考えます。そこに歌人はあるべき愛を語ろうとします。永遠なるものを希求するとき、そこに真の愛情が存在します。「侘歌《わびうた》こそまことの恋歌」とはそのことです。

時代の精神を創り出したのは男ばかりではありません。名もない、権力から遠い人間からも時代の精神は生まれてきます。記録には相模《さがみ》の名前はありません。夫の官職から相模と呼ばれています。幼いころは乙侍従《おとじじゅう》です。さしあたり、小さな職員乙ということでしょうか。

相模の生きた時代は、藤原氏による貴族の政治から武士の政治へと移り変わろうとする時代です。人は心の平安を願い、浄土思想が盛んとなります。阿弥陀如来《あみだにょらい》の信仰と極楽浄土《ごくらくじょうど》を欣求《ごんぐ》する気運が高まり、貴族の手によって造寺《ぞうじ》、造仏《ぞうぶつ》が行なわれます。

しかし、女性は必ずしも当時の仏教の中で受け入れられていません。涅槃経《ねはんぎょう》でも法華経《ほけきょう》でも女性は排斥《はいせき》されています。比叡山《ひえいざん》、高野山《こうやさん》では男の心を乱すものとして女人禁制《にょにんきんせい》が行なわれています。

女性の生きる場所は閉ざされています。相模に与えられていたのは歌という表現です。相模は様々な試練を必死になって取り組んでいきます。その過程を歌に記録しました。その記録を助けるものに普賢信仰《ふげんしんこう》がありました。唯一開かれたこの教えに女性達が集まったことは想像に難くありません。相模はこれを眺め観察しました。女性の立場を最大限に発揮し、精神の自由を求めて歩こうとしました。信仰は歌の道具となりました。『相模集』『思女集』はその記録のように思えます。

その記録を忠実に再現しようと思いました。力が足りず意味の伝わらない所があることをおそれます。また、史実から離れている箇所もいくつかあります。しかしなにより、乙と呼ばれ相模と呼ばれた女性の心の叫びに忠実であろうと心掛けました。精神の自由への希求を名前を記されない女性が必死で取り組んだことを伝えたいと願いました。それが伝わることを心より願っています。


本書は一九九〇年、木精書房より出版された『普賢と相模』を三十年ぶりに改訂したものです。三十年前どのように本を案内してよいのか迷っていたとき、三名の方に励まされました。脚本家・映画監督の新藤兼人氏、小説家の三浦綾子氏、司馬遼太郎氏です。三名の方々はそれぞれ鬼籍《きせき》に入られましたが、その活動と励ましは再出版の原動力となりました。あらためて御礼申し上げます。

コロナのお蔭《かげ》と言うべきでしょうか。資料を読み直す時間に恵まれました。相模の生きた時代の生活や交友関係などを見直しました。新たに登場人物を加え、よりわかりやすく伝えたいと考えました。改めて相模集が高い編纂《へんさん》技術と芸術性を持っていると考えました。資料を残すため尽力した鎌倉時代の歌人、藤原定家と江戸時代の国学者、塙保己一《はなわほきいち》に感謝いたします。

また、本書ができるまでに多くの人のお世話になりました。多くの方達がいなければ完成しませんでした。改めて紙上を借りて御礼を申し上げます。読者の皆様に相模の声が、より身近に感じられることを願っています。

著者記す

二〇二一年　六月二二日

読者の皆様へ

あなたは人とのつきあいがうまくいかないと悩んだことはありませんか。

精いっぱい努力したけれど、肝心なときに思い通りの結果にならないと感じたことはありませんか。


この本は千年前に活躍した歌人を主人公とする話ですが、その時代の人も現代人と同じ悩みを持っていることが分かります。子供を育てたい、心の隔てのない関係を築きたい、歌の技術を向上させたい、歌を人に認められたい、心を落ちつかせたい、本来の自分を探したい、随所にみられる歌人の悩みの数々は現代の人と共通しています。

この本で学べるのは、多くの悩みを抱えながら元気に生きていく姿です。

本書では平安時代の女性が自由を求めて戦った姿が描かれていますが、そのような本は今までにありません。歌の解釈をする人はいても相模の生い立ちや人との交流を考えて丹念に読む人がいなかったからと考えます。

この本を読むと読者はどうなるのでしょうか。

「時や空間を越えて人は生きる」と考え始めます。相模の歌を読むと、その手掛かりがあります。千年前に生きた人も現代を生きる人も心の奥底で考える理想は共通と気がつくからです。この本を読むと、相模の情熱に気がつきます。刺激を受けた人は新たな創作を始めることでしょう。働く人はその状況を少し遠くから観察し、難しい仕事に挑戦したくなるでしょう。生きづらさを感じている人は、その場所を大事にしながら新しい生き方を探すことでしょう。

あなたはさまざまな障害に出合ったとき、立ち止まって考えることはありませんか。千年を越えて呼びかける相模の声は、きっとあなたを励ましてくれることでしょう。あなたは立ち止まりながら自分に向かってもっと自分らしく行動したいと考えることはありませんか。分からないときには考えるヒントを探すことでしょう。そのようなとき『相模』を読んでみてください。考えるためのヒントがあり、『相模』の本はきっと役に立ちます。新たな行動のヒントがどこかにあるに違いありませんから。

今回の『相模』は主に相模の人生の前半部分を描いています。脩子内親王が亡くなった後、相模は若い歌人を育て、歌の指導者として活躍します。七十歳前後まで生きた相模の後半部分を続編として皆様にお届けする予定です。

楽しみにしていただければ幸いです。

サルピーノ

二〇二一年　七月一日

丸山牧夫（まるやま まきお）

神奈川県横浜市生まれ。東京在住。
著書
小説『普賢と相模』（木精書房）
童話『サルピーノ』（木精書房）
洗礼者ヨハネの生涯を表した脚本『メシア』（Kindle 掲載）
目に見えない存在ボイスとの会話、
『千年を聴く言葉』ボイス①（三楽舎プロダクション）
『千年を聴く言葉』ボイス②（三楽舎プロダクション）
『千年を聴く言葉』ボイス③（三楽舎プロダクション）

相　模　自由を求め　時代の風とたたかった歌人

2021 年 8 月 18 日　発行

著　者　丸山牧夫
発行所　サルピーノ
〒 171-0022 東京都豊島区南池袋 2-27-15 東興ビル 3 階
電　話：03-5950-5730
ＦＡＸ：03-5950-5726
ＵＲＬ:http://salpino.jimdo.com
E-mail:taniguchi@salpino-peace.com
発売所　星雲社（共同出版社・流通責任出版社）
〒 112-0005 東京都文京区水道 1-3-30
電　話：03-3868-3275
ＦＡＸ：03-3868-6588

印刷所　モリモト印刷

ISBN978-4-434-29095-4